D0511030

L'ABC DES TRUCS

de jardinage
de Rock Giguère

DU MÊME AUTEUR

Guide des Jardins du Québec, en collaboration avec Gaétan Deschênes, Éditions du Trécarré inc., 2000.

Botanique et horticulture dans les jardins du Québec, Volume 1, sous la direction de Rock Giguère, Les Éditions Multimondes, 2002.

Botanique et horticulture dans les jardins du Québec, Volume 2, sous la direction de Rock Giguère, Les Éditions Multimondes en collaboration avec La Société des Amis du Jardin Van den Hende, la Fédération des sociétés d'horticulture et d'écologie du Québec et l'Association des petits jardins du Québec, 2003.

Les Lilas, en collaboration avec Frank Moro, Les Éditions de l'Homme, 2005.

Les Pivoines, Les Éditions de l'Homme, 2006.

ROCK GIGUÈRE

L'ABC DES TRUCS

de jardinage
de Rock Giguère

LES ÉDITIONS
PUBLISTAR
QUEBECOR MEDIA

Catalogage avant publication de Bibliothèque et Archives Canada

Giguère, Rock

    L'ABC des trucs de jardinage de Rock Giguère

    (L'ABC des trucs)
    Comprend un index.

    ISBN 2-89562-166-7

    1. Horticulture d'ornement – Guides, manuels, etc. 2. Floriculture – Guides, manuels, etc. 3. Jardinage – Guides, manuels, etc. I. Titre. II. Collection : ABC des trucs.

SB405.G53 2006   635.9   C2005-942513-X

Éditrice : Annie Tonneau
Révision linguistique : Paul Lafrance
Correction d'épreuves : Dominique Issenhuth
Mise en pages : Édiscript enr.
Illustrations : Collection de l'auteur
Photo de la couverture : Benoit Potvin, Côté cours... Côté jardins
Graphisme de la couverture : Michel Denommée
Photo de l'auteur : Ghislain Fournier, JPL Production

Remerciements
Les Éditions Publistar reconnaissent l'aide financière du gouvernement du Canada par l'entremise du Programme d'aide au développement de l'industrie de l'édition (PADIÉ) pour ses activités d'édition. Nous remercions la Société de développement des entreprises culturelles du Québec (SODEC) du soutien accordé à notre programme de publication. Gouvernement du Québec – Programme de crédit d'impôt pour l'édition de livres – gestion SODEC.

Tous droits de traduction et d'adaptation réservés ; toute reproduction d'un extrait quelconque de ce livre par quelque procédé que ce soit, et notamment par photocopie ou microfilm, est strictement interdite sans l'autorisation écrite de l'éditeur.

Les Éditions Publistar
7, chemin Bates, Outremont (Québec) H2V 4V7
Téléphone : (514) 849 5259
Télécopieur : (514) 270-3515

Distribution au Canada
Québec-Livres
2185, autoroute des Laurentides
Laval (Québec) H7S 1Z6
Téléphone : (450) 687-1210
Télécopieur : (450) 687-1331

© Les Éditions Publistar, 2006
Dépôt légal : Bibliothèque et Archives nationales du Québec, 2006
Bibliothèque nationale du Canada
ISBN-10 : 2-89562-166-7
ISBN-13 : 978-2-89562-166-9

« L'amour du jardinage est une graine qui une fois semée ne meurt jamais. »
Gertrude Jekyll

Préambule

L'art du jardinage n'est pas l'apanage des experts. Tout jardinier a besoin de connaissances de base, afin d'acquérir un savoir-faire suffisant pour agrémenter sa vie, sans trop de peine et d'argent. Même si on fait appel aux services d'un professionnel en aménagement, qui nous guidera ou effectuera nos travaux, il est bon d'approfondir certaines notions pour identifier correctement nos besoins et bien se comprendre de part et d'autre.

Des encyclopédies, très bien conçues, traitent de l'horticulture, du jardinage et de l'aménagement paysager. Cependant, ces livres de références sont souvent spécialisés et utilisent parfois un langage complexe qui décourage le non-initié. Comme le monde de l'horticulture ornementale est vaste, ils sont aussi difficiles à consulter lorsqu'on veut repérer rapidement une technique de jardinage ou une notion horticole.

Depuis quelques années, j'écrivais de courts textes très diversifiés pour appuyer mes conférences, préparer mes articles de revue et mes émissions de télévision. Je garde précieusement toutes ces bribes d'informations pratiques, auxquelles je me réfère souvent. Après toutes ces années, j'ai réalisé que j'avais rassemblé assez d'informations pour rédiger un livre. Aussi, quand on m'a demandé l'été dernier d'écrire un ouvrage vulgarisé et pratique, j'ai cru bon d'offrir à tous les passionnés de jardinage cette collection de renseignements.

Il me fait donc plaisir de partager avec vous des pensées, des synthèses de lecture et des extraits de mes conférences qui m'ont aidé dans mon cheminement et me sont encore fort utiles.

Conçu comme un abécédaire, cet ouvrage devrait répondre à des besoins ponctuels que l'on rencontre généralement lors de l'aménagement et l'entretien de notre terrain : des suggestions d'arbustes au feuillage rougeâtre, le positionnement des roches dans une rocaille, l'utilisation de l'huile horticole, le séchage d'une plante, la taille d'une grosse branche d'arbre, etc. Les termes employés, sans être simplistes, sont faciles à comprendre ou sont expliqués progressivement afin que le lecteur puisse évoluer avec la notion décrite ou l'explication de la technique.

J'ai bonifié et agrémenté le texte avec quelques croquis. Au cours de la période de Noël, j'ai profité de la présence de mes neveux et nièces pour dessiner quelques esquisses avec eux. Certaines servent à mieux illustrer mes propos, d'autres nous déridant un peu lors de la lecture ou de la consultation. Je termine donc en remerciant Karine Giguère (14 ans), la principale contributrice, Valérie Morin et Steeve Fortin pour les heures qu'ils ont consacrées à cet ouvrage. Mon épouse, Céline Doyon, a aussi collaboré à ce livre en relisant mes textes et en effectuant des recherches.

Bonne lecture.

Rock Giguère

Abri de jardin

Plusieurs abris de jardin nous permettent d'être entourés de plantes décoratives et d'échapper ainsi aux regards indiscrets : pergolas, pavillons, gloriettes, etc. Alors que certaines structures (pergolas) laissent filtrer la lumière, d'autres (gloriettes) protègent complètement du soleil et de la pluie. Il suffit de choisir ce qui nous convient.

Gloriette

La gloriette, la tonnelle ou le pavillon (peu importe l'appellation qu'on lui donne, tellement il existe de confusion dans les descriptions de ces structures) sont une ossature, généralement de bois ou d'acier, que l'on tapisse de plantes grimpantes. Ces refuges gagnent de plus en plus en popularité. Correspondant à ce que les gens appelaient autrefois un « kiosque », ces constructions constituent un véritable toit en plein air. Le but est de créer un espace clos d'ombre plus ou moins tamisée. La gloriette procure de l'ombre pour les jardiniers et les plantes ainsi qu'un abri en cas d'averse. Ce genre d'abri de jardin convient parfaitement à l'installation d'un spa. Une haie libre, c'est-à-dire une association de plusieurs végétaux différents, peut entourer la structure pour l'isoler, formant un véritable îlot de paix et de sérénité dans la cour. Des potées et des bancs rendent l'endroit plus séduisant et invitent au repos. Somme toute, le jardinier d'aujourd'hui peut compter sur une panoplie de structures pour assurer son intimité.

Pergola

La pergola est la construction la plus utilisée pour procurer de l'ombrage et de l'intimité sur une terrasse attenante à la maison ou dans le coin repos du jardin. Il faut dire que tout bricoleur amateur un peu expérimenté peut fabriquer ce genre de construction à ciel ouvert, s'il se sert de bois. Constituée de colonnes supportant un toit ajouré, cette structure légère et aérée peut être habillée de végétaux pour assurer une plus grande intimité à ses occupants. À l'origine, la pergola avait d'ailleurs comme fonction principale de servir de soutien à des vignes vigoureuses. La pergola permet de jouir d'un cadre de verdure et de fleurs pour lire, se reposer ou recevoir les amis. Selon le style du jardin, la pergola peut aussi être construite en fer forgé. Il faut alors l'acheter toute faite.

Achat d'une plante

Acheter une plante peut paraître simple, mais pour mettre toutes les chances de reprise de son côté, il est nécessaire d'être vigilant sur certains points. Il faut d'abord vérifier l'état de santé de la plante (présence de maladies ou d'insectes, aspect général, nombre de tiges, etc.).

On doit aussi s'attarder sur le choix du contenant. Pour les jardinières, l'achat de plantes annuelles en cellules (non en fleurs) se révèle un très bon choix par rapport à une plante en plus gros pot qui a déjà fleuri (floraison précoce provoquée au détriment de l'enracinement du plant). Pour une transplantation dans les plates-bandes (saison plus avancée), il vaut mieux acheter des plantes en godets, qui seront plus « renforcées ».

Chez une plante vivace, un arbuste ou un arbre, la qualité du système de racines est très importante. Acheter une plante en bon état dans un gros pot l'amènera à mieux résister à l'agression des plantes avoisinantes. Pour celles qui sont à la limite de la rusticité, les acheter préférablement en gros contenants pour avoir des plants assez développés qui résisteront mieux aux rigueurs de l'hiver.

Achillée

Lorsque cueillies au printemps, les feuilles de l'achillée (*Achillea millefolium*) sont délicieuses en salade. En plus, si on les cueille lorsque les boutons floraux sont ouverts de moitié, ses tiges peuvent demeurer séduisantes de 7 à 10 jours en fleurs coupées.

Aconit

L'aconit (*Aconitum napellus*), qu'on appelait aussi « sabot de la Vierge » à cause de ses fleurs qui rappellent la forme d'un sabot, accompagnait la grande rudbeckie jaune devant la maison de nos grands-mères. Celles-ci avaient déjà remarqué la belle association du jaune et du bleu.

Alternance

Des arbres fruitiers et des arbustes à fleurs comme certains lilas ont une floraison abondante une année, et l'année suivante les fleurs sont moins nombreuses, voire absentes. On dit alors que ces végétaux sont sensibles à l'alternance ou qu'ils arborent une floraison bisannuelle. La plupart des nouveaux cultivars ne sont pas sujets au phénomène de l'alternance.

Aménagement extérieur – principes

- Regardez bien votre jardin et analysez-le dans sa globalité en tenant compte de toutes ses composantes et de son environnement (la grandeur du terrain, le style de la maison, les arbres des voisins, l'allure du quartier, etc.) ;
- envisagez votre décoration extérieure de la même manière que vous le feriez pour l'intérieur de votre maison ;
- consultez de bons livres d'aménagement qui vous montreront des ornements et des façons de les placer ;
- aménagez votre jardin pour vous-même : il doit être agréable pour les visiteurs, mais c'est vous qui y vivrez ;

- innovez et laissez-vous guider par votre imagination : la touche n'en sera que plus personnelle et sans doute plus réussie.

Ancolie

L'ancolie du Canada (*Aquilegia canadensis*), originaire d'Amérique du Nord, a été connue et appréciée des Français dès le début de la colonie. Les autres espèces nous sont venues d'Europe, vers 1700.

Angélique – sirop

Faire une décoction de feuilles, de tiges et de fleurs d'angélique (*Angelica archangelica*), la filtrer soigneusement, y incorporer autant de sucre qu'il y a de liquide et la faire bouillir jusqu'à l'obtention d'un sirop épais. Conserver ce sirop au congélateur. Le goût délicat de l'angélique se marie admirablement bien avec celui du yogourt nature. Note : Les feuilles cueillies en fin d'été dégagent un parfum plus prononcé que celles du printemps.

Arbre et arbuste – différence

- arbre : un seul tronc qui se dresse vers le ciel ;
- arbuste : plusieurs troncs et une forme buissonnante à la hauteur des yeux.

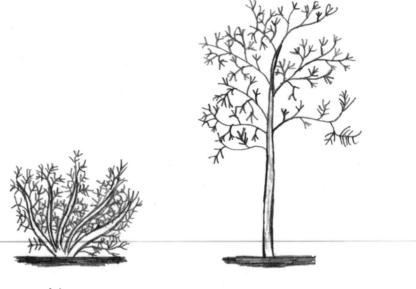

Arbuste   Arbre

Arbre

Aménagement

Les arbres contribuent fortement à donner un cachet original à un aménagement. Ils procurent plusieurs avantages, comme des zones d'ombre rafraîchissante, une protection contre le vent ou un coin d'intimité. Il faut cependant être vigilant au moment de leur achat,

car ils cohabiteront avec nous durant plusieurs années. Un mauvais choix ou des soins inadéquats à la
plantation peuvent nous faire perdre beaucoup de
temps… et d'argent. Les arbres, qui constituent l'ossature du jardin, déterminent sa structure et les grandes
lignes de son esthétique. En résumé, leur rôle est de :
- former l'ossature du terrain ;
- masquer certaines parties disgracieuses ;
- isoler le terrain du voisinage ;
- amortir le bruit de la rue et du voisinage ;
- former un écran contre la poussière ;
- attirer les oiseaux en leur offrant abri et nourriture ;
- procurer de l'ombre à la maison et sur certaines
  zones du terrain ;
- réduire les coûts de gaz ou d'électricité ;
- mettre en valeur la structure de la maison ;
- donner du volume à un petit terrain ;
- hausser la valeur de la propriété.

Forme pleureuse
Les arbres à forme pleureuse sont généralement moins rustiques que l'espèce
dont ils sont issus, aussi faut-il les protéger des vents dominants.

Fruits décoratifs
- Le pommier d'ornement (*Malus*) ;
- le prunier et le cerisier (*Prunus*) ;
- le chêne (*Quercus*).

Plantation de fin d'été

- Cette période de l'année est propice à la plantation, si l'arbre est rustique ;
- il faut acheter dans des jardineries qui prennent soin de leurs végétaux durant toute la saison de vente : bon système d'arrosage, arbres fixés avec des attaches pour ne pas tomber au vent, entretien adéquat de la charpente ligneuse (un seul tronc), etc. ;
- si le plant est à la limite de sa rusticité dans notre région ou qu'il présente un système racinaire de surface, il vaut mieux le planter au printemps afin qu'il ait le temps de bien s'enraciner avant les rigueurs de l'hiver ;
- lorsqu'on achète une plante à rabais à l'automne, vérifier si elle n'a pas de mauvaises blessures, si les racines sortant des trous de drainage du pot ne sont pas ancrées dans le sol sous le pot ou si la plante a bien repris dans le contenant ;
- travailler les mottes spiralées (les peigner) pour que la plante ne s'étrangle pas, les racines continuant à contourner la motte même en pleine terre.

Rusticité

Plusieurs arbres nous attirent lorsque nous visitons une jardinerie, mais attention à la zone de rusticité (norme établie principalement d'après les températures minimales). Bien souvent, certaines nouveautés ou certains spécimens inhabituels sont « risqués » parce qu'ils sont trop « frileux » pour le climat de notre région. Ainsi, si on demeure dans une zone de rusticité 4 (plus le chiffre est bas, plus une plante peut endurer le froid), il faut éviter de cultiver des végétaux de zone 5 qui risqueront de geler ou seront si faibles qu'ils offriront un piètre rendement. Un bon choix dès le départ évite bien des remords.

Sélection

- Son feuillage persistant ou caduc (suivant si on veut profiter de son feuillage tant en hiver qu'en été, ou seulement en été pour tirer avantage du soleil hivernal) ;
- la couleur de son feuillage ;
- sa forme (ovoïde, globulaire, érigé, pleureur, etc.) ;
- sa taille et sa largeur à maturité, en examinant les obstacles ou les contraintes de son plein épanouissement, comme la hauteur des fils, l'exiguïté du terrain et la proximité de la maison ou d'autres arbres ;
- sa rusticité : résistera-t-il au climat notre région ?

Soins avant la plantation

- Manipuler l'arbre avec soin lors du transport et le placer de façon à ce qu'il soit abrité du vent (le couvrir de polythène) ;
- conserver le plant dans son contenant jusqu'à la plantation, afin que les racines ne soient pas exposées au soleil ou au vent ;
- garder l'arbre dans un endroit ombragé ;
- immerger la motte dans l'eau, juste avant la plantation.

Soins d'automne

- Arroser les conifères contre la dessiccation (déshydratation);
- inspecter les arbres pour vérifier leur état de santé;
- supporter les grosses branches ou les troncs faibles avec des béquilles;
- tailler les branches inutiles ou nuisibles;
- ajouter une couche de paillis autour du tronc des arbres nouvellement plantés ou d'espèces vulnérables au froid pour protéger leurs racines des rigueurs des froids hivernaux.

Taille d'une grosse branche

Au printemps, il se peut que les bourgeons de toute une branche demeurent secs. Si en plus au début de juin on gratte l'écorce et que le bois est beige plutôt que vert, on doit alors la tailler. En coupant cette branche, il faut éviter les déchirures de l'écorce à proximité du tronc. Il est donc prudent d'alléger le poids de la branche en la taillant en sections pour effectuer la coupe finale avec le moins de poids possible. On soutient les sections pour éviter les déchirures. Cette coupe se fait en laissant le renflement terminal de la branche à la jonction du tronc. Cela facilitera la cicatrisation de la plaie. Il est recommandé de ne rien appliquer sur la surface de la coupe, ce qui lui permettra de sécher rapidement et de se cicatriser naturellement.

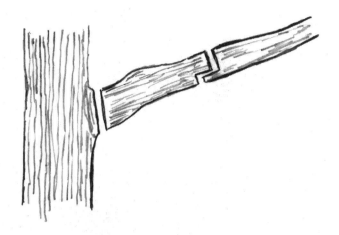

Traitement d'une blessure

- Si un arbre est en santé, la blessure se referme vite ;
- il faut tailler les branches abîmées, car les blessures sont des portes d'entrée pour les insectes et les maladies ;
- couper proprement une blessure sur un tronc avec un ciseau à bois stérilisé et bien aiguisé ;
- ne pas la recouvrir d'une couche de goudron ou toute autre substance, car une blessure se referme mieux si elle est laissée à l'air libre ;
- comme l'arbre doit garder son énergie pour réparer sa blessure, éviter les engrais car ce n'est pas le temps de stimuler la croissance ;
- désinfecter les outils avec de l'eau de Javel.

Trou de plantation

On ne plante pas un
arbre de 100 $ dans
un trou de 5 $!

Arbuste

Un arbuste, c'est une plante ligneuse, comme les
arbres. À la différence des arbres, qui sont habituellement grands et majestueux (plus de 6 m [20 pi]) tout
en ne présentant qu'un seul tronc, les arbustes sont en
général munis de plusieurs troncs, de dimensions plus
réduites. La plupart atteignent des hauteurs variant
entre 1 et 2 m (3 et 6 pi). Certains sont rampants et
s'élèvent très peu, alors que d'autres peuvent monter
jusqu'à 6 m (20 pi). Les arbustes peuvent être utilisés
à plusieurs fins :

- mettre en valeur les arbres ;
- border un sentier ou une allée ;
- masquer une terrasse surélevée, le dessous d'un
  escalier, une fondation, etc.
- former une haie ;
- attirer les oiseaux en leur offrant abri et nourriture ;
- éloigner les cambrioleurs près des fenêtres (arbustes piquants, rosiers, etc.).

Couvre-sol au port étalé

- Raisin d'ours (*Arctostaphylos uva-ursi*) ;
- cotonéaster de Dammer (*Cotoneaster dammeri*) ;
- daphné canulé (*Daphne cneorum*) ;
- forsythie 'Marée d'or' (*Forsythia* 'Marée d'or') ;

- genêt de Lydie (*Genista lydia*) ;
- saule rampant (*Salix repens*) ;
- stéphanandra crispé (*Stephanandra incisa* 'Crispa').

Endroit sec
- Arbre aux papillons (*Buddleia davidii*) ;
- genêt des teinturiers (*Genista tinctoria*) ;
- lavande à feuilles étroites 'Hidcote' (*Lavandula angustifolia* 'Hidcote') ;
- spirée (*Spiræa*) ;
- sumac (*Rhus*).

Feuillage grisâtre ou bleuté
- Amorphe blanchâtre ou faux indigo (*Amorpha canescens*) ;
- andromède à feuilles de polium 'Blue Ice' (*Andromeda polifolia* 'Blue Ice') ;
- argousier faux-nerprun (*Hippophæ rhamnoides*) ;
- bruyère commune 'Jan Dekker' (*Calluna vulgaris* 'Jan Dekker') ;
- chalef argenté (*Elæagnus commutata*) ;
- halimodendron argenté à fleurs roses (*Halimodendron halodendron*) ;
- ronce du Tibet 'Silver Fern' (*Rubus thibetanus* 'Silver Fern') ;
- saule arctique nain (*Salix purpurea* 'Nana') ;
- saule rampant (*Salix repens*) ;
- shépherdie argentée (*Shepherdia argentea*).

Feuillage jaune

- Bruyères communes (*Calluna vulgaris* 'Aurea', 'Blazeaway', 'Boskoop', 'Gold Haze', 'Multicolor', 'Yvette's Gold') ;
- caryoptéris 'Worcester Gold' (*Caryopteris clandonensis* 'Worcester Gold'), zone 5b ;
- cornouiller doré (*Cornus alba* 'Aurea') ;
- épine-vinette dorée (*Berberis thunbergii* 'Aurea') ;
- physocarpe à feuille d'obier doré (*Physocarpus opulifolius* 'Dart's Gold', 'Luteus', 'Nanus', 'Nugget') ;
- seringat doré (*Philadelphus coronarius* 'Aureus') ;
- seringat virginal 'Yellow Hill' (*Philadelphus virginalis* 'Yellow Hill') ;
- spirée japonaise dorée (*Spiræa japonica* 'Golden Carpet', 'Goldflame', 'Gold Mound', 'Golden Princess', 'Magic Carpet', 'Sparkling Carpet') ;
- sureau doré (*Sambucus canadensis* 'Aurea') ;
- sureau à grappes plumeux (*Sambucus racemosa* 'Plumosa Aurea') ;
- viorne cotonneuse dorée (*Viburnum lantana* 'Aureum') ;
- viorne obier 'Harvest Gold' (*Viburnum opulus* 'Harvest Gold') ;
- weigela 'Briant Rubidor' (*Weigela* 'Briant Rubidor').

Feuillage présentant des panachures

- Aralie de Siebold panaché (*Acanthopanax sieboldianus* 'Variegatus') ;
- arbuste aux papillons panaché (*Buddleia davidii* 'Harlequin') ;

- daphné de Burkwood (*Daphne burkwoodii* 'Carol Mackie', 'Silveredge') ;
- chèvrefeuille panaché 'Marble King' (*Lonicera* 'Marble King') ;
- corête du Japon panaché 'Picta' (*Kerria japonica* 'Picta') ;
- cornouiller argenté (*Cornus alba* 'Elegantissima', 'Sibirica Variegata') ;
- cornouiller de Gouchault (*Cornus alba* 'Gouchaultii') ;
- cornouiller stolonifère 'White Gold' (*Cornus stolonifera* 'White Gold') ;
- enkianthe en cloche panaché (*Enkianthus campanulatus* 'Variegatus') ;
- épine-vinette 'Rose Glow' (*Berberis thunbergii* 'Rose Glow') ;
- forsythie 'Minigold Fiesta' (*Forsythia* 'Minigold Fiesta') ;
- fusain de Fortune (*Euonymus fortunei* 'Blondy', 'Emerald Gaiety', 'Emerald Gold', 'Gold Tip', 'Harlequin', 'Sheridan Gold', 'Sunrise', 'Sunspot') ;
- lilas commun 'Dappled Dawn' (*Syringa vulgaris* 'Dappled Dawn') ;
- saule maculé 'Hakuro Nishiki' (*Salix integra* 'Hakuro Nishiki') ;
- saule cendré panaché (*Salix cinerea* 'Variegata') ;
- seringat 'Innocence' (*Philadelphus* 'Innocence') ;
- sureaux noirs panachés (*Sambucus nigra* 'Aureomarginata', 'Madonna', 'Pulvurentula') ;
- symphorine à feuilles rondes panachées (*Symphoricarpos orbiculatus* 'Variegatus') ;
- troène doré 'Hillside' (*Ligustrum vicaryi* 'Hillside') ;

- viorne cotonneuse panachée (*Viburnum lantana* 'Variegata') ;
- weigela de Floride nain panaché (*Weigela florida* 'Nana Variegata') ;
- weigela 'Sunny Princess', 'Suzanne' (*Weigela* 'Sunny Princess', 'Suzanne').

Feuillage rougeâtre
- Arbre à perruque ou arbre à boucane 'Royal Purple' (*Cotinus coggygria* 'Royal Purple') ;
- épine-vinette de Thunberg pourpre (*Berberis thunbergii* 'Atropurpurea', 'Atropurpurea Nana') ;
- érable du Japon à feuilles pourpres (*Acer palmatum* 'Atropurpureum') ;
- noisetier pourpre (*Corylus avellana* 'Rote Zeller') ;
- physocarpe à feuilles d'obier 'Diabolo' (*Physocarpus opulifolius* 'Diabolo') ;
- prunier des sables à feuilles pourpres (*Prunus cistena*) ;
- sureau noir au feuillage pourpre (*Sambucus nigra* 'Purpurea') ;
- weigela (*Weigela* 'Alexandra', 'Minuet', 'Nana Purpurea', 'Ruby Queen', 'Samba', 'Tango', 'Victoria').

Fruits décoratifs
- Aralie de Siebold à cinq feuilles (*Acanthopanax sieboldianus*) : noir ;
- argousier faux-nerprun (*Hippophæ rhamnoides*) : orange ;
- aronie noire 'Viking' (*Aronia melanocarpa* 'Viking') : noir ;

- daphné bois joli à fleurs blanches (*Daphne mezereum* 'Alba') : jaune ;
- daphné bois joli à fleurs pourpres (*Daphne mezereum* 'Rubra') : rouge ;
- chèvrefeuille (*Lonicera*) : rouge ;
- cotonéaster (*Cotoneaster*) : rouge ;
- épine-vinette (*Berberis*) : rouge ;
- fusain ailé (*Euonymus alatus*) : rouge ;
- fusain d'Europe 'Red Cascade' (*Euonymus europæus* 'Red Cascade') : rouge ;
- fusain de Hamilton (*Euonymus hamiltoniana* 'Coral Charm', 'Red Elf', 'Yedoensis') : rose ;
- gadelier alpin (*Ribes alpinum*) : rouge ;
- gadelier doré (*Ribes aureum*) : pourpre brunâtre ;
- houx commun 'Alaska' (*Ilex aquifolium* 'Alaska') : rouge ;
- houx de Meserve 'Blue Princess' (*Ilex meserveæ* 'Blue Princess') : rouge ;
- houx verticillé (*Ilex verticillata* 'After Glow', 'Cacapon', 'Red Sprite', 'Sparkleberry', 'Winter Red') : rouge ;
- mahonia à feuilles de houx (*Mahonia aquifolium*) : bleu ;
- prunier des sables à feuilles pourpres (*Prunus cistena*) : noir ;
- raisin d'ours (*Arctostaphylos uva-ursi*) : rouge ;
- ronce odorante (*Rubus odoratus*) : rose-pourpre ;
- shépherdie argentée (*Shepherdia argentea*) : rouge ;
- sureau du Canada (*Sambucus canadensis*) : noir ;
- sureau noir (*Sambucus nigra*) : noir ;
- sureau pubescent (*Sambucus pubens*) : rouge ;

- thé des bois (*Gaultheria procumbens*) : rouge ;
- symphorine blanche (*Symphoricarpos albus*) : blanc ;
- symphorine de Chenault 'Hancock' (*Symphoricarpos chenaultii* 'Hancock') : rouge à points blancs ;
- symphorine de Doorenbos 'Magic Berry' (*Symphoricarpos doorenbosii* 'Magic Berry') : rose-mauve ;
- viorne cotonneuse (*Viburnum lantana*) : noir ;
- viorne trilobée (*Viburnum trilobum*) : rouge.

Haie de bonne rusticité
- Caragana de Sibérie (*Caragana arborescens*) ;
- cotonéaster de Pékin (*Cotoneaster lucidus syn. C. acutifolia*) ;
- spirée couronne de mariée (*Spiræa vanhouttei*) ;
- gadelier alpin (*Ribes alpinum*) ;
- physocarpe à feuilles d'obier doré (*Physocarpus opulifolius* 'Luteus') ;
- seringat doré (*Philadelphus coronarius* 'Aureus') ;
- saule arctique nain (*Salix purpurea* 'Nana' ou 'Gracilis') ;
- spirée japonaise 'Anthony Waterer' (*Spiræa japonica* 'Anthony Waterer').

Plantation d'un plant en contenant
Les étapes suivantes devraient répondre aux exigences de plantation d'un arbuste en contenant :
- creuser un trou de 30 à 60 cm (12 à 24 po) plus large que la motte de terre ;
- former une cavité qui doit être plus large à la surface du sol qu'au fond du trou, pour permettre aux racines nourricières de surface de croître ;

- remplir le trou avec de la bonne terre à jardin ;
- ne pas fertiliser, car les racines nourricières croîtraient rapidement et atteindraient trop vite la surface compactée sans s'être bien établies ;
- planter l'arbuste un peu plus haut que la ligne du sol, car celui-ci s'affaisse durant les premières années qui suivent la plantation ;
- déposer un paillis de 7 à 10 cm (3 à 4 po) d'épaisseur sur le sol, en prenant soin de ne pas l'étendre trop près du tronc. Ce paillis aidera l'arbuste à survivre aux froids et aux dégels successifs durant le premier hiver ;
- surveiller l'arrosage durant la première saison, surtout pendant les sécheresses.

Protection hivernale

À cause de la rigueur de l'hiver au Québec, nous devons protéger les arbustes du froid et du poids de la neige. En plus, nous devons prévenir la déshydratation et le dessèchement causés par le vent froid et le soleil. Ces phénomènes touchent principalement les arbustes à feuillage persistant (qui ne perdent pas leur feuillage à l'automne, comme les rhododendrons).

Des systèmes de protection bien adaptés à notre climat existent aujourd'hui sur le marché. La traditionnelle clôture à neige est très utile pour assurer une frontière entre l'arbuste et la couverture de neige. Elle empêche le poids de la neige d'écraser l'arbuste et de casser des branches. Elle peut aussi protéger l'arbuste du jet de la souffleuse à neige. On ajoute une toile protectrice pour les plus frileux, pour ceux qui sont exposés aux grands vents du nord et pour les arbustes à feuillage persistant. Dès les premières neiges, on remplit l'abri avec de la neige, qui constitue le meilleur isolant.

Certaines techniques horticoles servent aussi à protéger l'arbuste pour l'hiver. D'abord, il faut éviter de fertiliser l'arbuste en automne, car ce geste prolonge la croissance active des plantes ligneuses, ce qui risque d'entraîner le gel des bourgeons. Une autre bonne précaution automnale, c'est d'épandre un paillis de compost sur le sol autour de la base des plants. Les arbustes comme les rhododendrons, qui ont des racines superficielles, sont sensibles aux gels et aux dégels fréquents en automne et au printemps.

Situation ombragée
- Daphné bois gentil (*Daphne mezereum*) ;
- hamamélis de Virginie (*Hamamelis virginiana*) ;
- hortensia (*Hydrangea*) ;
- mahonia à feuilles de houx (*Mahonia aquifolium*) ;
- piéris ou andromède du Japon (*Pieris*) ;
- rhododendron (*Rhododendron*) ;
- sorbaria à feuilles de sorbier (*Sorbaria sorbifolia*) ;
- symphorine blanche (*Symphoricarpos albus*) ;
- thé des bois (*Gaultheria procumbens*).

Sol acide
- Clèthre à feuilles d'aulne (*Clethra alnifolia*) ;
- enkianthe en cloche (*Enkianthus campanulatus*) ;
- fothergille robuste (*Fothergilla major*) ;
- hortensia (*Hydrangea*) ;
- kalmia des montagnes (*Kalmia latifolia*) ;

- piéris ou andromède du Japon (*Pieris*) ;
- rhododendron (*Rhododendron*) ;
- thé du Labrador (*Ledum groenlandicum*).

Sol glaiseux
- Cognassier du Japon (*Chænomeles japonica*) ;
- corête du Japon (*Kerria japonica*) ;
- forsythie (*Forsythia*) ;
- fusain de Fortune (*Euonymus fortunei*) ;
- mahonia à feuilles de houx (*Mahonia aquifolium*) ;
- physocarpe à feuilles d'obier (*Physocarpus opulifo-lius*) ;
- viorne (*Viburnum*).

Taille d'entretien
Cette taille est pratiquée pour maintenir la vigueur et assurer la bonne floraison de l'arbuste. Elle permet aussi à la lumière de pénétrer au cœur de l'arbuste. Elle consiste à :
- enlever les branches cassées, malades ou mortes ;
- éliminer les branches fines et grêles improductives ;
- couper les drageons ;
- supprimer les branches qui déforment la silhouette de l'arbuste ;

- tailler les branches qui traversent l'arbuste ou qui croisent d'autres branches ;
- enlever les vieilles branches qui n'ont « plus d'avenir » afin de favoriser la pousse de jeunes tiges vigoureuses et plus florifères.

Taille d'une branche cassée

Le poids de la neige a souvent affaibli ou cassé quelques branches d'arbustes. Il faut tailler ces branches faibles ou cassées. Une taille avertie s'effectue en biais (30°) au-dessus d'un bourgeon (0,5 cm ou 1/4 po) orienté vers l'extérieur du plant, donc ni trop loin ni trop près du bourgeon. Il est important de faire une coupe nette avec des outils bien affûtés et propres. Ils doivent être nettoyés après usage, avec de l'eau de Javel diluée : une cuillère à soupe dans un litre d'eau.

Taille de floraison

La taille de floraison favorise une floraison plus importante et des fleurs plus grosses. On coupe les branches sous l'inflorescence, juste au-dessus d'un œil (bourgeon). Le moment propice de la taille varie selon les caractéristiques de chaque arbuste. Les principes suivants peuvent nous guider dans cette opération.

- Les arbustes qui fleurissent sur le bois de l'année précédente : la taille s'effectue tout de suite après la floraison. Il ne faut surtout pas les tailler au printemps, car les fleurs se sont déjà formées l'année précédente. Si on les taille à cette période, on détruit donc la floraison. Exemples : l'amandier de Chine à fleurs doubles (*Prunus triloba* 'Plena'), le cognassier du Japon (*Chænomeles japonica*), les deutzias (*Deutzia*), les forsythies (*Forsythia*), le genêt des teinturiers (*Genista tinctoria*), les lilas (*Syringa*), les seringats (*Philadelphus*) et les spirées à floraison printanière (*Spiræa*).

- Les arbustes qui fleurissent sur les pousses de l'année : au printemps, on sectionne les vieilles tiges qui ont fleuri l'année précédente. Exemples : l'arbre aux papillons (*Buddleia davidii*) que l'on cultive comme une plante vivace au Québec, et l'hortensia arborescent 'Annabelle' (*Hydrangea arborescens* 'Annabelle').

- Certains arbustes n'ont pas besoin ou n'apprécient pas d'être taillés : la taille doit alors se limiter à la suppression des fleurs ou des branches gênantes et inutiles. Exemples : les deutzias (*Deutzia*), les exochordes (*Exochorda*), les andromèdes du Japon (*Pieris*), les rhododendrons (*Rhododendron*), les seringats (*Philadelphus*) et les weigelas (*Weigela*).

Taille de rajeunissement

Cette taille sert à donner « une nouvelle jeunesse » à un vieil arbuste, à un arbuste déformé ou devenu trop encombrant. Il s'agit de rabattre les branches au sol à une hauteur de 5 à 10 cm (2 à 4 po). De nombreuses branches naîtront de la souche et cette taille permettra de régénérer complètement l'arbuste, sans aucun risque. Dans certains cas, il se peut que l'arbuste prenne de deux à trois ans avant de refleurir.

Dans la plupart des régions, les branches de l'arbre aux papillons (*Buddleia davidii*) gèlent durant l'hiver. On doit couper presque toute la partie aérienne qui n'a pas survécu à la rigueur de notre climat, car seules les racines ont survécu. Cette taille correspond à une taille de rajeunissement.

Certains arbustes exigent une taille de rajeunissement tous les deux ou trois ans, par exemple les cornouillers aux branches colorées. En effet, ce sont les jeunes pousses qui arborent les teintes les plus vives. Chaque année, il faut tailler les branches moins colorées et les plus vieilles pour régénérer l'arbuste.

Arche

L'arche est une structure qui peut servir de transition entre deux espaces. Insérée dans une haie, elle incite les visiteurs à la franchir. Une succession d'arches peut créer un bel effet de perspective. Afin de bien jouer son rôle de barrière visuelle, elle doit être garnie de plantes  ornementales afin d'habiller le plus possible sa structure. On peut aussi disposer des potées fleuries à ses pieds pour accentuer l'effet décoratif ou l'installer près d'un banc ou d'un sentier.

Arrosage en gouttelettes

Certaines plantes, telles que les alchémilles, les astilbes, les fougères et les hostas, nécessitent une humidité plus élevée que les autres. Comme on traverse de plus en plus de périodes de sécheresse durant la belle saison, il faut leur donner une bonne douche de temps en temps.

Ces plantes affectionnent particulièrement un arrosage sous forme de brumisation. D'abord, cette technique permet de rafraîchir la plante. Ensuite, à cause de sa douceur, elle empêche le lessivage des éléments nourriciers de la terre tout en lui fournissant l'apport d'eau nécessaire. Mais comment distribuer les fines gouttelettes ? On peut renverser un pistolet arrosoir, doté d'un réglage de débit continu, pour diriger une pluie fine vers le ciel. Afin de maintenir en place le pistolet arrosoir, il suffit d'utiliser un contenant carré en plastique coupé en V à deux extrémités, et de déposer le boyau sur un côté et le pistolet sur l'autre.

Arrosoir

Cet instrument qui imite la pluie tombant du ciel a remplacé le seau. Ainsi, nous sommes capables d'arroser en contrôlant le débit d'eau et en ciblant le lieu d'arrosage. L'arrosage sous pression n'a pas encore déclassé l'arrosoir traditionnel pour l'apport d'eau dans les pots et les jardinières.

Plantes intérieures

Il faut absolument utiliser un petit arrosoir à long bec pour les plantes qui n'aiment pas qu'on arrose leur feuillage. Ainsi, on peut facilement accéder à la surface du terreau à travers le feuillage.

Attache

J'aime bien que mes attaches soient le plus invisible possible, alors j'emploie de la corde de lin non teinte. On peut aussi utiliser des *twist ties* de couleur verte afin que la fixation se confonde avec le vert du feuillage.

Azote

Le sol peut manquer d'azote (N). Une mauvaise croissance et un feuillage jaunâtre sont les indicateurs de cette carence. La terre peut alors être enrichie et reconditionnée par des engrais chimiques ou biologiques, inorganiques ou organiques.

Bain d'oiseaux

Un bon moyen d'inviter les oiseaux chez nous est de leur fournir un coin où ils pourront s'abreuver et se baigner.

On peut leur fabriquer un étang artificiel. Certains jardiniers construisent eux-mêmes leur bain d'oiseaux à partir d'un bassin de fibre de verre moulé ou avec une toile de plastique résistante. Vous pouvez aussi opter pour un bain d'oiseau très décoratif au jardin sur un piédestal, ou encore une simple soucoupe en terre cuite. Si vous êtes chanceux, vous trouverez une belle pierre creuse qui s'intégrera bien à votre décor.

Peu importe le moyen retenu pour fournir un point d'eau aux oiseaux, il faut s'assurer que ceux-ci y ont accès facilement et sans danger : des roches bien placées si l'eau est profonde, un lieu où les chats sont à découvert, etc. Ne pas oublier de changer l'eau ou de remplir le bassin régulièrement.

Banc

Étant donné que la cour est une extension de la maison, plusieurs personnes installent des meubles en divers endroits de leur jardin, comme ils le font dans leur demeure. De nos jours, posséder un banc digne de la période élisabéthaine n'est plus l'apanage des princes ou des notables. La fabrication en série des ornements fait en sorte qu'on peut choisir ses éléments décoratifs parmi un bon éventail de produits, et ce, à un prix abordable. Nous sommes passés de l'utilitaire au décoratif, tout en pouvant satisfaire nos besoins fonctionnels.

Intégration à l'aménagement

Avant d'acheter ce nouvel élément décoratif, il est bon de se questionner sur la finalité souhaitée afin de définir l'emplacement et le nombre de sièges requis. Un banc solitaire dans un coin du jardin incite au repos et à la contemplation du décor. Des sièges regroupés invitent plutôt à bavarder ou à prendre le thé ou une bière entre amis. Un banc à l'ombre est toujours apprécié durant les journées chaudes de l'été. Le banc peut être aussi purement décoratif lorsqu'il est placé près de la porte de la maison. Une chaise défraîchie en fonte ou en fer forgé peut être placée comme élément décoratif dans un coin du jardin sans pour autant être fonctionnelle.

Barre à mine

La barre à mine, aussi appelée *crow bar*, pince-monseigneur et pied-de-biche, est l'outil idéal pour retirer une grosse pierre du sol.

Bassin

Clarification de l'eau

Au printemps, l'ajout d'un produit pour clarifier l'eau accélère grandement sa purification. Ce produit lie et amalgame les fines particules en suspension qu'on n'a pu retirer avec l'épuisette. Il existe sur le marché des produits naturels qui sont sans danger pour la flore et la faune. Il suffit de les verser sur les parois internes du bassin.

Démarrage des jets d'eau et des pompes filtrantes

Après avoir nettoyé et vérifié le bon fonctionnement de la pompe, il faut la démarrer sans tarder même si des gelées tardives, qui seront légères, peuvent encore survenir. Un bassin est une vraie usine vivante, et les poissons comme les plantes ont besoin d'oxygène. Il faut rebrancher sans tarder les cascades et les jets d'eau qui produisent beaucoup d'oxygène, favorisant ainsi les conditions de survie de tout le système écologique (les animaux, les plantes, les bactéries, etc.).

De plus en plus, les propriétaires de bassin laissent fonctionner leur pompe à longueur d'année. Il suffit alors de rebrancher les cascades et les jets d'eau après les avoir nettoyés.

Ensemencement de bactéries

Un geste très important au printemps est de commencer sans tarder le contrôle des algues. Dès que la glace est fondue sur le plan d'eau, il est recommandé d'ajouter à l'eau des bactéries qui viendront contribuer au travail de celles qui y sont déjà présentes naturellement. Le travail bactérien, en plus de purifier l'eau, contre les algues qui se sont formées à l'automne. Les bactéries se nourrissent des minéraux présents dans l'eau et éliminent une grande partie de la nourriture des algues. Plus tard, certaines plantes s'ajouteront afin de contrer la prolifération des algues. Enfin, il vaut mieux éviter les produits chimiques qui peuvent se révéler nocifs pour la survie des plantes et des poissons. Afin que les bactéries se fixent aux parois et aux parties poreuses du bassin, on doit arrêter le fonctionnement de la pompe toute la nuit lorsqu'on dépose le produit.

Filtre mécanique ou biologique

Le filtre mécanique, en tant qu'appareil, ressemble en tous points au filtre biologique : une pompe et un filtre ou bloc de filtres. Dans un filtre mécanique, un bloc de mousse emprisonne les déchets, par captage physique. Dans un filtre biologique, l'épuration se fait par des bactéries installées dans une cartouche de filtrage, qui dégradent les bactéries indésirables ou les algues.

L'eau comme baromètre

L'eau est une source de renseignements fort utiles pour nous guider dans l'entretien d'un bassin :
- eau froide : gagne de l'oxygène ;
- eau chaude : perd de l'oxygène ;

- eau noire : présence de matières organiques comme des feuilles mortes, de la terre noire, etc. ;
- eau verte : prolifération d'algues ;
- eau blanche : poisson en décomposition ;
- eau brouillée : nettoyage printanier déficient, population de poissons trop importante ou surabondance de nourriture à poissons ;
- odeur nauséabonde : manque de bactéries, chaleur excessive de l'eau.

Nettoyage printanier

On ramasse les feuilles au fond du bassin à l'aide d'une épuisette télescopique. Il ne faut pas oublier que les feuilles mortes causent la désoxygénation de l'eau et qu'en plus certaines peuvent être toxiques pour les poissons. Il faut aussi se rappeler que les débris des végétaux augmentent les risques de propagation d'algues.

Si aucun filet n'a été posé à l'automne pour empêcher l'immersion des feuilles mortes et que le nettoyage n'a pas été effectué, il peut arriver qu'un ratissage du fond du bassin s'impose pour enlever les matières sédimentées.

Il faut retirer les feuilles et les insectes morts dans les contenants des végétaux immergés.

Plantes

Les plantes sont un élément de décor important du jardin d'eau. Un bassin sans plantes, c'est comme une plate-bande sans végétaux. Cette présence végétale n'a pas

seulement une fonction décorative, mais aussi des utilités diverses comme l'oxygénation de l'eau, sa filtration, son refroidissement par ombrage, etc.

Pots submergés

- Il ne faut jamais mettre les nymphéas dans de petits pots, car ils ne se développeront pas ;
- lorsqu'on place une plante en pot au fond de l'eau, elle aura tendance à remonter car elle est gorgée d'oxygène ; il suffit d'attacher une brique trouée au pot pour le garder au fond ;
- on utilise de la corde de nylon car elle ne se désagrège pas dans l'eau ou du moins beaucoup moins que celle qui est fabriquée avec d'autres matériaux.

Soins des plantes au printemps

Il faut enlever le feuillage fané qu'on avait laissé sur certaines plantes vivaces pour protéger leur souche des froids hivernaux. Si une plante présentait des déficiences de croissance l'année précédente, on peut enlever un peu de terre autour de la souche et la remplacer par une terre enrichie. Un engrais à décomposition lente serait également bénéfique pour lui redonner une bonne vitesse de croisière. C'est aussi le temps de diviser les vivaces qui ont atteint un trop grand développement.

Binage

« Un bon binage vaut deux arrosages. »

Dicton

Sarclage

Pour plusieurs, le sarclage n'a d'autre utilité que d'enlever les « mauvaises herbes » nuisibles ou indésirables dans les plates-bandes ou le potager. Cette opération joue un rôle beaucoup plus important encore. En effet, comme on gratte la terre en sarclant, on brise la croûte superficielle de terre compactée par l'eau de pluie et l'arrosage, permettant ainsi à l'air d'y pénétrer. L'air est aussi important que l'eau pour assurer la vigueur et la santé de nos plantes. Plus l'air est sec (lors des canicules), plus l'eau tente de remonter à la surface pour équilibrer la constante d'évapotranspiration. En brisant la couche superficielle, on coupe l'effet de capillarité. De plus, si la surface du sol est bien aérée, l'eau y pénètre et les éléments nutritifs y demeurent. On « gratte » la terre sur une profondeur d'environ 5 cm (2 po), pas trop profondément, pour éviter d'endommager les racines de nos plantes (attention à celles qui ont des racines superficielles comme les rhododendrons).

Le même raisonnement s'applique aux potées fleuries à l'intérieur. Il faut gratter régulièrement la terre avec un objet contondant, comme un crayon, afin d'enlever la mousse ou toute autre substance qui pourrait nuire à la respiration des racines.

Sarcloir

Comme il faut enlever les plantes « indésirables » de nos plantations « ornementales » ou « potagères », le cultivateur ou griffe, mieux connu chez nous sous le terme de sarcloir, est un outil indispensable. Les dents (de une à sept) de cet outil remuent la terre et l'émiettent, tout en permettant d'en extirper les « mauvaises herbes ». Le manche peut être court ou long. Cet instrument doit être robuste pour être efficace.

Des racines à nu, des branches tordues, des silhouettes bizarres, voilà l'art du bonsaï (arbre en pot). Cette technique de culture permet d'obtenir des créations végétales où l'horticulture se marie avec l'esthétisme et la philosophie. Les bonsaïs offrent des solutions très originales pour la décoration de nos cours et de nos demeures.

En principe, un arbre ou toute plante qui se lignifie peut être placé dans un pot contenant une terre peu profonde pour être « transformé » en bonsaï. Certains végétaux sont plus faciles à travailler que d'autres. Il faut que notre sujet laisse place à la fantaisie, sinon notre œuvre aura peu de panache. On taille l'arbre, on ligature ses branches et ses racines, on le transplante ou on surélève la motte à chaque rempotage afin que ses racines soient apparentes. En résumé, on lui donne de la misère pour qu'il devienne « une beauté éternelle ».

Bouturage

Le bouturage consiste à planter un fragment d'une plante saine (tige, feuille, racine) pour provoquer l'enracinement de cette partie. Le bouturage de tige est la technique la plus utilisée. Il permet de reproduire plusieurs plantes à la fois. C'est la méthode la plus courante de multiplication des arbres et des arbustes ornementaux. En voici les grands principes :

violette africaine

- prélever une tige non fleurie de 10 cm (4 po) ;
- enlever les feuilles inférieures ;
- couper en deux les feuilles conservées (si elles sont grandes) ;
- tremper la tige dans une poudre d'hormone de bouturage (facultatif) ;
- planter dans un terreau léger ;
- arroser suffisamment.

Arbuste

- Choix : le bois ne doit pas être formé sur la partie prélevée, ce qui compliquerait l'émission de racines ;
- taille : on coupe sous un nœud, c'est-à-dire au-dessous d'une feuille ;
- longueur : la partie prélevée doit mesurer au moins 10 cm (4 po) et contenir trois nœuds ou plus ;

- traitement : on garde de deux à trois feuilles, on élimine les fleurs ainsi que les boutons floraux pour que la bouture concentre son énergie à produire des racines.

Automne

À l'automne, lorsqu'on rentre des plantes mères à l'intérieur pour conserver certains spécimens rares ou coûteux, on peut procéder au bouturage de quelques tiges. Il est possible de produire plusieurs nouvelles plantes à partir d'une seule plante mère. Il est essentiel cependant d'assurer de bons soins aux boutures pour avoir de beaux plants au feuillage bien fourni au printemps.

Plantes qui se bouturent facilement à l'automne

Ce ne sont pas toutes les plantes qui se prêtent au bouturage. Les plantes suivantes sont faciles à bouturer :
- bégonia hybride de Rex (*Begonia*) ;
- brugmansia (*Brugmansia*) ;
- chrysanthème (*Chrysanthemum*) ;
- coléus (*Coleus*) ;
- datura (*Datura*) ;
- héliotrope (*Heliotropium*) ;
- hibiscus (*Hibiscus*) ;
- lierre (*Hedera*) ;
- passiflore (*Passiflora*) ;
- pélargonium (*Pelargonium*) ;
- misère pourpre (*Setcreasea pallida*).

Bouturage d'automne

Conditions de reprise

- Substrat : une terre légère et bien aérée facilite la formation des racines ;
- chaleur : comme elle fait démarrer le processus d'enracinement, il faut placer les boutures dans un endroit où la température se tient aux environs de 20 °C (68 °F) ;
- humidité : étant donné que la chaleur ambiante doit être accompagnée d'humidité, une vaporisation le matin et le soir est bénéfique ; on peut aussi fabriquer un dôme avec un sac de plastique ;
- luminosité : il faut au moins 10 heures de bonne luminosité sous un fluorescent ou devant une fenêtre située au sud, sinon les plants vont s'allonger inutilement et s'étioler.

Note : les hormones de bouturage en poudre ne sont pas nécessaires, à moins que la plante ne soit considérée comme difficile à bouturer.

Pinçage

Les plants bouturés poussent souvent très vite en hauteur au détriment d'une bonne ramification de base. Il faut pincer avec les ongles l'extrémité des nouvelles tiges (bourgeon terminal) afin de favoriser un développement en largeur plutôt qu'en hauteur.

Brise-vent

Un brise-vent efficace est une plantation d'arbres ou d'arbustes dans le but de diminuer la vitesse du vent de moitié sur une distance de 10 à 15 fois leur hauteur. Le vent perd de l'énergie à chaque branche qu'il heurte. Il réduit donc graduellement sa vitesse, ce qui l'empêche de retomber en tourbillonnant, comme il le fait lorsqu'il frappe un mur de briques par exemple. Il faut donc éviter les brise-vent trop compacts.

Pour protéger nos plantations des vents froids qui retardent la croissance des plantes, déshydratent leurs fleurs, endommagent leur feuillage ou les dessèchent carrément, on a avantage à installer des brise-vent autour de nos jardins, tout comme les agriculteurs le font ou devraient le faire pour améliorer la production des vergers et des plantes fourragères.

Jardin de grande dimension
Deux ou trois rangées d'épinettes (*Picea*) ou de pins (*Pinus*).

Jardin de dimension moyenne
• Des lilas de Preston (*Syringa prestoniæ*) ;
• des thuyas occidentaux (*Thuya occidentalis*).

Jardin de petite dimension
• Le saule arctique (*Salix purpurea* 'Gracilis') ;
• certaines spirées (*Spiræa*) ;
• le lilas de Mandchourie (*Syringa patula* 'Miss Kim') ;
• la viorne obier naine (*Viburnum opulus* 'nanum') ;
• le physocarpe (*Physocarpus*) ;
• la potentille (*Potentilla*) ;
• l'hortensia 'Annabelle' (*Hydrangea arborescens* 'Annabelle') ;

- l'épine-vinette de Thunberg (*Berberis thunbergii*).

Brouette

Cette invention de Pascal a fait beaucoup de chemin. La pluie et les mauvais traitements sont presque impuissants devant notre brouette moderne galvanisée, capable de transporter des poids allant jusqu'à 200 kg (440 lb). La roue gonflée offre un bon confort même sur une surface bosselée. L'étrier, qui est le prolongement des manchons, sert de pivot pendant le déversement du chargement ou de support au moment de l'entreposage.

Bruyère commune

Certaines plantes sont encore très méconnues au Québec quant à leur rusticité sous nos climats. Les plantes acidophiles, comme la bruyère commune, font partie de ces délaissées parce que souvent on ne les croit pas assez rustiques pour nos jardins.

La bruyère est un arbrisseau qui atteint généralement de 30 à 60 cm (1 à 2 pi) de hauteur sous nos cieux. C'est un couvre-sol qui convient parfaitement aux bordures de nos plates-bandes ou de nos rocailles.

Certains cultivars de la bruyère commune sont très décoratifs par leur feuillage jaunâtre ou argenté. Bien entendu, les bruyères offrent une jolie floraison automnale assez variée. Avec les beaux automnes que nous connaissons depuis quelques années, il est fort judicieux de les intégrer à nos jardins, alors que les floraisons à cette période se font rares.

Taille

Après quelques années, le centre des bruyères communes (*Calluna vulgaris*) se dégarnit car l'arbuste a pris trop d'ampleur. Il faut alors le rabattre sévèrement, ce qui peut l'endommager ou lui donner une mauvaise apparence pour une couple d'années.

Il vaut donc mieux prendre le temps de tailler la bruyère commune à chaque année afin qu'elle ne perde pas sa forme ni en hauteur ni en largeur. Avec des ciseaux à haie, on coupe juste en dessous des hampes florales sans trop entrer dans le feuillage. On peut quand même tailler un peu de feuillage pour garder une forme régulière. J'effectue cette tâche au printemps, car j'aime profiter de leur floraison et de la beauté de leur feuillage jusqu'à ce que la couverture de neige les protège des rigueurs du froid hivernal.

Bulbe

Les plantes bulbeuses se divisent en deux catégories : certaines sont vivaces (tulipe, crocus, lis, narcisse, perce-neige, etc.), d'autres, appelées bulbes tendres ou bulbes d'été, sont sensibles au froid (dahlia, glaïeul, canna, calla, etc.).

Achat

Il est bon de vérifier ou de tenir compte des deux éléments suivants :

* grosseur : choisir des bulbes de bonne grosseur, qui sont peut-être plus coûteux mais qui nous assurent d'une belle floraison l'année suivante ;

- état : vérifier si le bulbe est sain, ferme et ne présente pas d'écorchures ; le fait que la couche qui enveloppe le bulbe soit partiellement ou totalement absente n'enlève pas de qualités au bulbe.

Bulbe tendre

Arrachage

- Retirer les bulbes après un bon gel, lorsque le feuillage est complètement sec ou brûlé par le froid ;
- se servir d'une fourche ou d'une bêche à quatre dents plutôt que d'une pelle, car parfois on sous-estime la grosseur des bulbes ou leur nombre ;
- déterrer avec soin les bulbes pour ne pas les endommager (enlever une bonne motte de terre) ;
- enlever le plus de terre possible à la main autour des bulbes ;
- secouer ensuite avec précaution pour enlever encore plus de terre ;
- étiqueter le nom de la plante pour bien identifier le cultivar, en pensant à l'année suivante ;
- faire sécher à l'air libre, une journée ensoleillée et sans gel ;
- réduire ensuite le feuillage à 2 cm (1 po) pour eucomis ou fleur ananas, glaïeul ; à 10 cm (4 po) pour arum, bégonia, canna, dahlia ;
- secouer une dernière fois la motte après le séchage pour finir d'enlever la terre.

Entreposage des bulbes

- Placer les bulbes dans des boîtes de bois ou de carton tapissées de papier journal, dans de la tourbe, de la paille bien séchée au soleil ou dans de la sciure de bois non humide (attention, l'humidité fait pourrir les bulbes) ;
- choisir un endroit sec dont la température constante idéale doit se situer entre 8 et 10 °C (46 et 50 °F), par exemple dans un sous-sol ou un garage ;
- entreposer à l'abri de la lumière ;
- effectuer des contrôles pendant l'hiver pour enlever les bulbes pourris, qui contamineraient les autres.

Entreposage en pot

Il est possible de laisser certaines plantes bulbeuses en pot en les entreposant telles quelles à l'intérieur sans les extirper du sol. J'utilise cette méthode avec de petits bulbes, comme mes oxalides (*Oxalis*).

- Réduire peu à peu les arrosages en septembre ;
- faire sécher le terreau à l'intérieur du pot en le protégeant des pluies (le feuillage sèchera lui aussi) ;
- rentrer le pot à l'intérieur ;
- l'abriter dans un endroit sec et à l'abri du gel ;
- au printemps, recommencer les arrosages et ces plantes bulbeuses fleuriront de nouveau comme si elles n'avaient jamais arrêté de le faire.

Plantation

Les directives recommandent de les planter après les dernières gelées au printemps, lorsque la température du sol atteint 13 °C (55 °F), car les bulbes ont besoin de cette température pour débuter leur croissance. Si l'on attend ces conditions, certains spécimens fleuriront très tard en saison, surtout dans les régions plus froides du Québec. Certaines plantes bulbeuses endurent une température plus froide que les autres, surtout celles dont il faut planter le bulbe profondément. Les glaïeuls, par exemple, peuvent être plantés à l'extérieur dès le début de mai, car ils devraient être enfouis sous 10 cm (4 po) de terre pour que le plant se tienne bien lors de la floraison.

Comme on a toujours hâte de voir fleurir ses plantes le plus tôt possible, on peut devancer l'été. Dès avril, on plante les plus fragiles en pot dans la maison dans un terreau commercial à base de tourbe de sphaigne et de vermiculite. On place le contenant n'importe où, car les tiges n'ont pas besoin de lumière pour se développer à partir du bulbe. Quand la végétation apparaît à la surface du pot, il faut placer la plante devant une fenêtre ou sous une lumière artificielle. On peut ainsi obtenir une floraison dans nos jardins de deux à trois semaines plus précoce.

Bulbe vivace

Plantation

- Période de plantation des bulbes vivaces : du mois d'août jusqu'au premier gel. Une plantation tardive ne fait que retarder la floraison.
- Nombre : par groupe de 6 à 12 (regroupés, leur floraison est plus spectaculaire).

- Endroit ensoleillé au printemps : pelouse, rocaille, plate-bande, au pied des arbustes et des arbres, en potée fleurie.
- Sol : bien drainé, car l'humidité stagnante peut faire pourrir les bulbes. Éviter de planter dans un sol détrempé. Ameublir le sol sous les racines afin que le bulbe se développe bien.
- Profondeur idéale : environ trois fois la hauteur du bulbe. Crocus : de 10 à 15 cm (4 à 6 po) ; jacinthe : de 15 à 20 cm (6 à 8 po) ; tulipe : de 15 à 20 cm (6 à 8 po).
- Distance entre les bulbes : de trois à quatre fois la hauteur du bulbe (cependant, vérifier la distance suggérée sur les emballages).
- Sens du bulbe : la pointe vers le haut.
- Engrais : de la poudre d'os ou un engrais spécialement conçu pour les bulbes.

Bulbe vivace à floraison printanière

Entretien, arrachage et entreposage

- Après la floraison, supprimer les fleurs fanées en coupant la tige à quelques centimètres au-dessous de la base des fleurs ;
- arroser régulièrement jusqu'à ce que les feuilles fanent complètement ;
- déterrer et diviser les bulbes qui exigent cette opération au moins six semaines après la floraison ;

- faire sécher les bulbes au soleil et ensuite les remiser dans un endroit sec ;
- replanter à l'automne : seuls les bulbes d'un diamètre suffisant fleuriront l'année suivante.

Note : les bulbilles devraient être éliminés ou replantés dans un coin du jardin.

Cactées à l'extérieur

Ces plantes vivaces mais gélives sous nos climats peuvent sortir de la maison vers la fin de mai et rester dehors jusqu'à la mi-septembre. Un jardin désertique composé de plantes clair-semées, de gravier et de roches, permet de les mettre en valeur.

Cadran solaire

À l'époque des montres numériques, nous avons oublié que les cadrans solaires qui ornent nos jardins ont jadis été le mariage parfait de la technologie et de l'art. L'histoire des montres d'antan est imprégnée d'idylles et d'intrigues. Par exemple, Éléonore d'Aquitaine a donné son cadran solaire de poche à son preux chevalier Henri II, afin de s'assurer qu'il quitte la chasse au renard à temps pour leurs rencontres amoureuses. Plusieurs nobles qui commandaient des cadrans solaires faisaient graver des inscriptions romantiques comme « Les fleurs meurent, l'amour reste » ou une phrase rendue célèbre par Shakespeare « L'amour ne s'altère pas avec le temps qui est fait d'heures brèves ». Ce romantisme devrait inspirer encore la décoration de nos jardins.

Cahier de notes

Il est fort utile de tenir un registre afin de nous souvenir de la date de floraison de nos plantes, de nos achats (collage de la facture), ou pour garder un article de presse pertinent, l'étiquette de nos plantes, etc.

Canna – calendrier des soins

Mars	Avril	Mai-juin	Juillet-août	Septembre-octobre-novembre	Hiver
• Division des rhizomes. • Plantation en pot à l'intérieur à la fin du mois.	• Arrosage restreint jusqu'à l'apparition des pousses.	• Plantation en pleine terre: deux semaines avant les dernières gelées. • Transplantation des cannas en pot une fois le risque de gel passé.	• Arrosages fréquents. • Fertilisation mensuelle (10-20-10).	• Taille du feuillage gelé à 20 cm (8 po). • Arrachage, séchage et entreposage des rhizomes à l'abri du gel.	• Conservation à la noirceur 13 °C (55 °F) dans de la mousse de tourbe.

Carpe japonaise – on peut l'apprivoiser

Les poissons de nos jardins d'eau peuvent être facilement apprivoisés. Ils viennent nous saluer quand nous nous approchons de l'eau et même manger dans nos mains.

Un bon moment pour se faire accepter d'eux est lorsqu'on les nourrit. Il s'agit d'y aller à heure fixe et de les nourrir toujours au même endroit. Les poissons reconnaissent vite l'endroit où on les alimente. On peut les appeler en leur parlant ou en produisant des bruits caractéristiques comme taper des mains, cogner des cailloux ensemble, etc.

Une fois qu'ils se sont bien habitués à notre présence journalière, on peut essayer de les nourrir dans nos mains. Instinctivement, les poissons ont peur des mains. Pour les y faire manger, il faut créer un lien entre nos mains et la nourriture. On se frictionne les doigts avec de la nourriture que l'on a mouillée auparavant. Ainsi, les poissons font la relation entre nos mains et le garde-manger. Après quelques semaines, on peut même les flatter. Il faut toujours éviter les mouvements brusques et ne pas tenter de les prendre si on n'est pas certain de bien les avoir apprivoisés.

Cerf de Virginie

Voici quelques moyens pour dissuader Bambi de venir manger votre haie de thuyas occidentaux (*Thuya occidentalis*).

Des barrières physiques :
- la pose de grillage de basse-cour autour de la haie ;
- l'installation d'une haute clôture.

Des répulsifs :
- la plantation de ricins et de digitales ;
- des barres de savon suspendues dans la haie ;
- des poils de chien ou d'humain autour des plants ;
- de l'urine de coyote ou de loup ;

- un répulsif commercial comme Skoot ou Plantskydd.

Des épouvantails :
- le Scarecrow : un gicleur d'eau activé par mouvement ;
- des carillons.

Ciseaux à haie

Cet outil sert à tailler une masse de branches de longueurs inégales : par exemple, pour donner une forme à une haie. Certains l'utilisent aussi pour couper le gazon sous des obstacles, comme le long d'un mur. Les ciseaux à haie servent aussi à rabattre les plantes vivaces à l'automne.

Clématite

Des feuilles qui flétrissent

Le problème le plus dévastateur chez la clématite est une maladie fongique appelée flétrissement brutal de la clématite. Elle est causée par des champignons comme *Ascochyta clematidina*. L'excès d'humidité favorise l'apparition de ces champignons.

Les feuilles et les fleurs commencent à flétrir, et une tige peut être complètement atteinte en 24 heures. Parfois, le plant entier est contaminé. L'attaque est donc rapide et souvent sans pardon, surtout chez les hybrides à grandes fleurs.

La maladie a été rapportée pour la première fois au Royaume-Uni en 1915. La diminution de la résistance à cette maladie semble provenir du programme intensif d'hybridation survenu entre 1860 et 1880.

Lutte contre la flétrissure

La flétrissure fait partie du monde des clématites, et on doit les cultiver en appliquant des mesures préventives pour contrer cette maladie.

- Planter les clématites dans un sol bien drainé ;
- choisir un site qui reçoit plus de six heures d'ensoleillement ;
- ne pas travailler la terre en profondeur près des clématites afin de ne pas endommager leurs racines superficielles ;
- étendre un paillis aéré et bien décomposé, en évitant qu'il entre en contact avec les tiges ;
- enlever et détruire les feuilles ainsi que les tiges tombées au sol, car les champignons peuvent survivre longtemps dans les débris d'une clématite porteuse de la maladie ;
- ne pas planter une clématite à un endroit où l'on a déjà cultivé cette plante grimpante, surtout si celle-ci y est morte ;
- opter pour une clématite espèce et ses cultivars ou pour un hybride à petites fleurs, qui sont beaucoup plus résistants au flétrissement ;
- bien examiner la plante au moment de l'achat ;
- surveiller et éliminer si nécessaire toute plante qui montre des anomalies comme une tige cassée, une feuille roussie, etc.

Plantation

Pour la plantation des clématites, qui sont des plantes grimpantes rustiques, la meilleure saison au Québec est le printemps. Cela permet à la plante de bien s'établir durant l'été avant d'affronter les rigueurs de l'hiver. Si l'on effectue des plantations à l'automne, souvent les plants sont soulevés hors de terre par la gelée et leurs racines gèlent ou se dessèchent. Même les clématites en contenant devraient être plantées au printemps, ou très tôt à l'automne, afin qu'elles prennent un bon départ avant les gels.

Le trou de plantation doit être suffisamment grand pour assurer un bon développement des racines. Il doit contenir assez de terreau riche pour fournir au nouveau plant les éléments nutritifs pour bien s'établir. Un trou de 1 m (3 pi) de diamètre et d'environ 60 cm

(2 pi) de profondeur permet à notre future vedette d'avoir suffisamment de place pour bien s'implanter. Le sol de remplissage devrait contenir un tiers de matières organiques (compost), car les clématites aiment un sol humifère, riche et bien drainé.

Rusticité

Dans le jardin, la rusticité d'un endroit peut varier selon plusieurs facteurs comme l'exposition, la réfraction de la chaleur, la plantation dans un lieu abrité, etc. Par exemple, si l'on a à couvrir un mur de briques exposé au soleil une bonne partie de la journée et que celui-ci se trouve dans une cour protégée par une haie de thuyas occidentaux (*Thuya occidentalis*), on peut essayer une clématite d'une zone supérieure car on « vole » quelques degrés à la nature. Si le jardin est situé dans une zone de rusticité 4 et que le défi nous intéresse, le choix d'une clématite de zone 5 est donc possible, si les conditions sont telles qu'on vient de décrire.

Des précautions sont à prendre cependant lorsqu'on cultive une clématite près ou hors de sa limite de rusticité. D'abord, des arrosages en profondeur sont nécessaires pendant les sécheresses d'été pour forcer la plante à faire des racines en profondeur. À l'automne, il est bon de déposer un paillis généreux à sa base, surtout les premiers hivers.

Au Québec, à cause de nos hivers rigoureux, plusieurs clématites gèlent jusqu'au sol, mais elles reviennent de façon rigoureuse à chaque printemps car après tout leur but premier est « d'atteindre le ciel ».

Support

Les plantes grimpantes comme les clématites ont la particularité de se mouvoir, ce que l'on a cru long-temps exclusif aux animaux. Pour parvenir à « gagner leur ciel », elles ont mis au point au cours de leur évolution une manière de se faufiler. Pour choisir les bons spécimens en fonction de nos besoins et surtout pour leur donner les supports adéquats, il faut appri-voiser cette méthode d'escalade. Comme la clématite s'accroche à son support par enroulement des tiges, il est préférable de l'attacher sur un tuteur au départ, en attendant qu'elle se fixe elle-même pour se diriger sur son support permanent et éviter que ses jeunes tiges fragiles ne se cassent. On peut aussi la cultiver en la laissant ramper sur le sol ou en l'appuyant sur un arbuste comme un rosier.

Taille printanière

Lorsqu'on taille une clématite, il faut se rappeler à quel groupe elle appartient. Seules celles qui appartiennent au groupe III peuvent être taillées tôt au printemps, car elles fleurissent sur le bois de l'année. Ces clématites comprennent les espèces '*Jackmannii*' (la plus popu-laire) et '*viticella*'. On les taille généralement à environ 40 à 50 cm (16 à 20 po) du sol. Pour les groupes de taille I et II, on doit se contenter de supprimer les tiges mortes seulement, car elles fleurissent sur le bois de l'année précédente.

Cœur-saignant

Le cœur-saignant (*Dicentra spectabilis*), introduit en Angleterre en 1846, est vite devenu la plante vedette du jardin printanier de nos grands-mères. Une pépinière l'annonçait ainsi en 1868: «une plante très curieuse et très belle, très rustique avec une floraison prolongée». Nos aïeules ont appris à le mettre en valeur dans des coins ombragés comme au pied des lilas et des pommiers.

Compost

Grands principes

Pour des conditions optimales, on doit avoir un bon volume (au moins 1 m³ [1,2 verge³]), surtout si on composte en tas.

Avec des matériaux appropriés, disposés graduellement en une partie de résidus verts (rognures d'herbe, fleurs fanées, coquilles d'œufs, marc de café, etc.) pour deux à trois parties de résidus bruns (feuilles mortes, bran de scie, paille, etc.), on peut obtenir la chaleur idéale pour la décomposition des résidus, soit entre 50 et 70 °C (120 et 160 °F).

- Le compost doit être en contact avec le sol ;
- il est installé à l'ombre, donc à l'abri du soleil et de la pluie ;
- il doit être aussi à l'abri du vent pour ne pas se dessécher trop rapidement ;
- il faut aérer le tas en le retournant avec une fourche ou en utilisant un aérateur.

Chaleur

Le but de ceux qui font du compost est d'en obtenir le plus possible, et ce, dans un court laps de temps. On y parvient en faisant ce qu'on appelle du compost accéléré. Pour en produire, il faut maintenir le plus longtemps possible une température interne très élevée, soit entre 40 et 55 °C (105 et 130 °F). Ces températures élevées tuent les semences des mauvaises herbes et les champignons pathogènes, ce qui donne un compost de grande qualité.

Chaleur et thermomètre

Il faut surveiller régulièrement la température du compost et surtout celle du centre du tas. Heureusement, il existe un thermomètre spécialement conçu pour cet usage, qui permet de vérifier régulièrement la température de notre futur « or noir ». À l'achat, il faut vérifier la longueur de la tige. Pour qu'elle se rende jusqu'au centre du tas de compost, elle doit donc mesurer entre 40 et 50 cm (16 et 20 po), considérant que le volume de matière en décomposition doit être d'au moins 1,3 m³ (1,5 verge³) pour créer les conditions favorables au réchauffement du tas. La vérification de la chaleur permet d'effectuer les interventions comme l'aération au bon moment en ne risquant pas de nuire au processus de décomposition. Ce genre de thermomètre à cadran assure habituellement une lecture de température entre -10 et 90 °C (14 et 195 °F). Il ne faut pas le laisser inutilement dans le composteur, et on doit le ranger après utilisation... pour ne pas l'oublier l'hiver venu.

Mauvaises feuilles

Les feuilles constituent un des matériaux privilégiés du compost. En principe, toutes les sortes de feuilles, qu'elles soient acides ou alcalines, peuvent servir au compostage. Tout le monde sait qu'il ne faut pas mettre de matières contaminées, telles que les feuilles des arbres fruitiers atteints de la tavelure, dans le compost afin de ne pas disséminer les maladies. D'autres feuilles sont aussi à éviter pour des motifs beaucoup plus subtils.

Certaines feuilles sont toxiques pour les plantes ou pour la vie à l'intérieur du compost et dans le sol. Par exemple, les racines et les feuilles de noyer contiennent du juglon, une substance qui attaque les autres végétaux entrant en compétition avec elles pour l'eau et la nourriture. Ces feuilles sont qualifiées d'inhibitrices. Les feuilles de chêne contiennent une substance appelée lignine qui rend celles-ci très difficiles à composter. Enfin, les feuilles de rhubarbe macérées dans l'eau contiennent des substances qui en font un excellent insecticide dans l'eau. Elles tuent donc les mauvais comme les bons insectes dans le compost ou le sol.

Conifère
À croissance lente et à forme naine

Les conifères nains ou à croissance lente sont de plus en plus prisés aujourd'hui par les jardiniers, non seulement parce qu'il y a une plus grande disponibilité de ces végétaux sur le marché, mais aussi parce que la surface des terrains offerts aux citadins est de plus en plus exiguë. Bien entendu, il est toujours possible de conserver un conifère de petite dimension par la taille de ses racines, en restreignant la croissance de celles-ci dans un contenant ou par une taille annuelle très sévère.

Cependant, par définition, un conifère nain est une plante qui atteint naturellement et sans artifice une hauteur et une largeur de 60 cm sur 60 cm (2 pi par 2 pi), alors qu'un conifère à croissance lente atteint à maturité une dimension voisine de 1,8 m sur 1,8 m (6 pi sur 6 pi). Pour leur garder une forme compacte et symétrique, il faut parfois effectuer une taille d'entretien.

Petit jardin
- Faux-cyprès de Sawara 'Cream Puff' (*Chamæcyparis pisifera* 'Cream Puff') ;

- faux-cyprès de Sawara doré (*Chamæcyparis pisifera* 'Filifera Aurea') ;
- faux-cyprès de Sawara 'Lemon Thread' (*Chamæcyparis pisifera* 'Lemon Thread') ;
- faux-cyprès de Sawara 'Strathmore' (*Chamæcyparis pisifera* 'Strathmore') ;
- genévrier commun 'Gold Cone' (*Juniperus communis* 'Gold Cone') ;
- genévrier écailleux 'Blue Star' (*Juniperus squamata* 'Blue Star') ;
- mélèze bleu nain sur tige (*Larix* 'Blue Dwarf' STD) ;
- mélèze pleureur sur tige 'Stiff Weeping' (*Larix* 'Stiff Weeping' STD) ;
- mélèze de Marschlins 'Varied Directions' (*Larix marschlinsii* 'Varied Directions' STD, syn. *Larix eurolepis* 'Varied Directions') ;
- épinette blanche d'Alberta (*Picea glauca* 'Alberta Globe') ;
- épinette blanche 'Little Globe' (*Picea glauca* 'Little Globe') ;
- épinette blanche pleureuse (*Picea glauca* 'Pendula') ;
- épinette du Colorado 'St. Mary's Broom' (*Picea pungens* 'St. Mary's Broom') ;
- thuya occidental 'Rheingold' (*Thuya occidentalis* 'Rheingold').

Port

Les conifères ont plusieurs façons originales de présenter leur ramure. Il est donc important de choisir le port qui convient à l'emplacement choisi.

- conifère sphérique : forme arrondie, naturellement bien ramifiée. Exemple : épinette du Colorado 'St. Mary's Broom' (*Picea pungens* 'St. Mary's Broom').
- conifère érigé : forme élancée, verticale. Exemple : if du Japon de Hicks (*Taxus media* 'Hicksii').
- conifère columnaire (ou fastigié) : forme étroite et cylindrique. Exemple : pin sylvestre 'Slim Jim' (*Pinus sylvestris* 'Slim Jim').
- conifère pleureur : forme pleureuse. Exemple : mélèze 'Stiff Weeping' (*Larix* 'Stiff Weeping').
- conifère rampant : forme dont les branches couvrent bien le sol. Exemple : épinette du Colorado prostrée (*Picea pungens* 'Procubens').
- conifère tortueux : forme dont les branches sont tortueuses. Exemple : mélèze d'Europe 'Hortsmann's Recurva' (*Larix decidua* 'Horstmann's Recurva').

Contrée d'origine des plantes

Une des questions les plus préoccupantes, quand on achète une plante vivace et surtout si on s'apprête à payer un certain prix, est la suivante : cette plante sera-t-elle rustique dans mon jardin ? Pour des jardiniers qui, comme moi, essaient plusieurs plantes non documentées ou jugées « de façon trop conservatrice », l'habitat d'origine de la plante est très important. Par exemple, plusieurs plantes provenant de zones alpines du Népal, de la Corée ou du Tibet, attitrées à des zones de rusticité 5, parfois 6 ou 7, par des grainetiers reconnus comme Thompson & Morgan, se sont parfaitement adaptées dans mon jardin qui est situé en zone 3b, à plus de 427 m (1 400 pi) d'altitude. Ainsi, je peux cultiver les pavots bleus de l'Himalaya, le kirengeshoma à feuilles palmées, etc. Le secret : la couverture de neige et l'origine alpine de ces plantes.

Cottage Garden

Les mots qui résument le mieux ce genre de jardin sont : modestie, simplicité et spontanéité.

Couleur

« Je ne comprends pas pourquoi un être humain devrait détester une couleur, si ce n'est au sein d'une association ratée. »

Graham Stuart Thomas, grand jardinier anglais

Chaude et froide

Les couleurs chaudes donnent de la gaieté (jaune, orange et rouge).

Les couleurs froides sont apaisantes, romantiques et pleines de douceur (bleu, mauve, rose).

Harmonisation des floraisons

- Les couleurs des floraisons sont la touche finale d'un massif floral ;
- elles créent des liens entre l'environnement et la maison ;
- elles définissent l'ambiance (couleur chaude ou froide) ;
- on choisit une couleur de base et ensuite on y associe deux ou trois autres couleurs ;
- il faut prendre le temps d'harmoniser les couleurs comme on décore l'intérieur de sa demeure ;
- trop de couleurs et de mélanges sèment la confusion.

Jardin monochrome

Le jardin monochrome est un jardin composé uniquement ou presque d'une seule couleur de fleurs ou de feuillage. Le jardin blanc est un classique dans ce type de jardin.

Le bleu

- Le jardin bleu évoque le paradis, le ciel, le romantisme ;
- le bleu crée une illusion de grandeur dans les endroits exigus en donnant un effet de profondeur ;
- cette couleur est mise en valeur par une lumière filtrante et un ciel gris ;
- quelques associations recommandées avec le bleu : rose, jaune, blanc, feuillage doré et grisâtre ;
- on peut aussi associer le bleu et l'orange ;
- il ne faut pas associer le bleu au rouge.

Le feuillage argenté

- Tempère les couleurs vives ou criardes ;
- sépare des couleurs qui, juxtaposées, créeraient un ensemble disgracieux ;
- fait ressortir des teintes pâles en créant une douce transition ;
- se marie facilement aux autres couleurs ;
- attire l'œil dans les endroits éloignés ;
- est une couleur passe-partout ;
- doit être égayé par des couleurs vives ;
- ne doit pas être placé en trop grande quantité.

Le jaune

- Le jaune fait ressortir davantage le bleu ;
- cette couleur attire les regards dans un jardin ;
- le jaune éclaire un coin ombragé ;
- il stimule le regard.

Culture *in vitro*

On trouve de plus en plus de plantes produites par culture *in vitro* plutôt que par division, marcottage, semis, etc. En effet, cette technique de laboratoire permet de répondre aux demandes du marché, en reproduisant en grand nombre des nouveautés horticoles ou des plantes rares. Elle se base sur la notion que «toute cellule végétale est capable de générer un autre individu identique à celui dont elle est issue ».

Cette technique est révolutionnaire, mais elle exige plusieurs soins : stérilisation du matériel et désinfection des explants (parties de la plante utilisée pour la reproduction : tiges, feuilles, racines, graines, bourgeons, etc.). Elle demande aussi des conditions de culture parfaitement contrôlées (température, lumière, humidité) spécifiques à chaque type de plante.

Des accidents peuvent survenir : malformations dues à un déséquilibre hormonal, perte de caractères intéressants, problèmes d'acclimatation en culture, contamination des futurs plants par une bactérie ou un virus, etc. Comme on le voit, le processus de reproduction par tissu de culture est complexe et exige beaucoup de précautions. Il n'est donc pas surprenant que des plantes de culture *in vitro* affichent parfois un piètre rendement ou ne présentent pas toutes les mêmes caractéristiques que leurs parents, surtout les plantes qui sont issues de chimères comme certains hostas panachés.

Culture sous les arbres

Lors d'une conférence, une dame se plaignait que ses hostas se dégradaient ou stagnaient au pied de ses gros pins blancs. Plusieurs ont déjà deviné la réponse. Dans les endroits difficiles, il faut planter des végétaux qui tolèrent ces mauvaises conditions, sinon ils ne donneront pas un bon rendement. Ainsi, certaines plantes vivaces acceptent de tapisser le pied des grands arbres tout en donnant un bon rendement, car elles sont très résistantes à l'ombre et à la sécheresse.

Par exemple, les cultivars 'Beacon Silver' et 'White Nancy' du lamier maculé (*Lamium maculatum*) ont une croissance vigoureuse même dans les endroits ingrats. Avant la plantation, il faut ameublir la terre en la remuant pour y introduire du compost. Celui-ci assurera un bon développement de départ aux plantes. Durant l'été, le fait de garder le sol frais au moyen d'arrosages modérés prolonge la floraison du lamier.

Cure-oreille – outil de jardinage

On peut s'en servir pour badigeonner de l'alcool sur des feuilles attaquées par la cochenille ou encore un herbicide comme le Round Up sur une plante indésirable (exemple : du muguet ou un pissenlit à l'intérieur d'une talle de pivoines).

Cynorhodon

Les rosiers se garnissent à l'automne de fruits (cynorhodons) qui présentent durant une bonne partie de l'hiver un aspect décoratif intéressant. À ce titre, les rosiers botaniques et rugueux (*R. rugosa*) sont particulièrement intéressants. En voici quelques exemples :
- le rosier de Moyes (*Rosa moyesii*) ;
- le rosier des marais (*Rosa palustris*) ;
- le rosier à feuilles rouges (*Rosa rubrifolia*) ;
- le rosier rugueux 'Henry Hudson' (*Rosa rugosa* 'Henry Hudson') ;
- le rosier rugueux 'Snow Pavement' (*Rosa rugosa* 'Snow Pavement').

Dahlia

Les premiers dahlias furent introduits en Amérique du Nord au début des années 1800. Nos ancêtres aimaient leurs couleurs vives et voyantes : jaune, orange, rouge, blanc et rose. Même si la culture du dahlia demande un peu d'effort, étant donné qu'il faut déterrer les bulbes à l'automne et les entreposer l'hiver, presque tous les jardins de nos grands-mères contenaient ces plantes bulbeuses. Il faut dire que les « caveaux » de l'époque étaient des endroits privilégiés pour garder les bulbes en bonne forme durant l'hiver.

Décoction

Une décoction consiste à faire bouillir en vase clos une plante réduite en petits morceaux dans un liquide, de 10 à 30 minutes, puis à filtrer.

Delphinium (ou pied d'alouette)

Nos grands-mères cultivaient les pivoines pour la volupté victorienne de leurs fleurs, qui étaient imprimées sur les rideaux et les divans de l'époque. La majesté des hampes florales des delphiniums les a aussi charmées. Elles savaient très bien mettre en évidence un delphinium pour qu'il devienne un point de mire au moment de sa floraison. Le tuteurage n'avait pas de secret pour elles. Nos grands-mères l'exécutaient de façon très efficace, avec des lattes de bois grisées par le temps ou des branches d'arbustes sauvages, qui se confondaient dans la végétation.

Calendrier des soins

Printemps	Été	Automne
• étendre une couche de compost à leur pied ; • placer déjà des tuteurs pour les spécimens qui nécessitent d'être soutenus ; • multiplier en bouturant les pousses qui ont deux ou trois feuilles ; • surveiller les limaces qui s'attaquent parfois au feuillage.	• arroser pendant les canicules car les delphiniums ont besoin de beaucoup d'eau ; • tuteurer les spécimens à grand développement ; • rabattre les tiges après la floraison, pour obtenir une deuxième floraison ; • prévenir l'attaque de l'oïdium à l'aide d'arrosages avec un fongicide biologique.	• profiter de la deuxième floraison pour obtenir de belles fleurs coupées ; • diviser tôt en automne les espèces vivaces, lorsqu'elles ne sont pas en fleurs ; • si le temps qu'il fait est propice à l'oïdium (pluies et nuits fraîches), traiter avec un fongicide biologique ; • détruire le feuillage au nettoyage d'automne, si le plant a été attaqué par l'oïdium.

'Pacific Giant Hybrids'

Créée vers 1930 aux États-Unis par Frank Reinelt, un immigrant tchèque, la série des delphiniums commercialisés sous le nom de 'Pacific Giant Hybrids' a profondément marqué l'histoire horticole. Il fut même un temps où une plate-bande n'était réussie que si ces rois de la hauteur y régnaient. Ces hybrides au port élancé et majestueux ont connu un déclin de popularité, mais comme plusieurs plantes cultivées autrefois, ils sont en train de regagner leur statut de plantes vedettes.

Désherbage

L'enlèvement des « mauvaises herbes » permet un meilleur développement des plantes ornementales en éliminant des plantes qui entrent en compétition avec celles que nous voulons garder. En effet, ces indésirables s'approprient des éléments nutritifs et parfois même la lumière, au détriment des plantes que nous voulons conserver.

Diable

Plusieurs d'entre nous conçoivent leur aménagement avec des potées fleuries. On les déplace au fil de l'été, afin de colorer un coin du jardin qui manque de couleur ou tout simplement par goût de changement. Certains contenants, comme les auges en ciment, sont très lourds. Il faut donc les manœuvrer de façon à éviter de se faire un tour de reins. Un diable peut alors nous rendre la vie plus facile. À l'achat, on doit tenir compte de certains critères importants. La pelle porteuse doit être suffisamment large pour y poser la potée fleurie de façon stable. Des roues munies de chambres à air bien gonflées permettent de circuler un peu partout sur le terrain. Une barre transversale incurvée stabilise bien les pots. Bien entendu, on peut aussi s'en servir pour transporter des sacs d'engrais, de tourbe et même des roches. Un diable peut transporter jusqu'à 200 kg (440 lb) de charge.

Division

La générosité de la nature nous permet de multiplier des plantes qui sont bien établies. En extrayant quelques tiges dotées de racines d'une plante vivace ou d'un arbuste ligneux qui produit de nouvelles pousses chaque année, on peut obtenir de nouveaux plants identiques à la plante mère.
• Procéder à la division au printemps ou à l'automne ;
• soulever ou enlever le plant à diviser avec une bêche ;

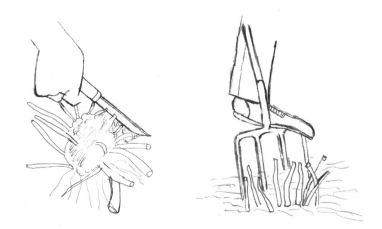

- séparer la touffe ou enlever des tiges enracinées en les découpant à la main, au couteau, à la pelle ou à la bêche selon la grosseur de la talle et sa consistance ;
- repiquer les fragments ;
- tasser la terre pour éliminer les poches d'air.

Drageon

Il faut absolument couper les drageons qui partent de la base des arbres ou des arbustes sur tige (STD) à chaque année. Habituellement, ces repousses proviennent d'un porte-greffe (plante sur laquelle on a fixé un spécimen ornemental) et peuvent prendre le dessus sur la plante qui est greffée et qu'on a payée souvent au prix fort. Si on laisse aller ces repousses, qu'on appelle aussi à juste titre gourmands, elles épuiseront inutilement le spécimen greffé en détournant de la sève à leur profit et déformeront sa silhouette à moyen terme. On taille les drageons avec un sécateur à main.

Écorce décorative

Certains arbres ou arbustes très discrets durant l'été laissent deviner la beauté de leur écorce en hiver, lorsqu'ils sont dénudés de leur feuillage. Des écorces somptueuses peuvent donc décorer notre jardin en hiver. Le cornouiller de Sibérie (*Cornus alba 'sibirica'*) révèle une belle écorce rouge très brillante sur un fond de neige. Seules les jeunes pousses sont brillamment colorées, aussi faut-il tailler la moitié de l'arbuste chaque année pour le renouveler aux deux ans. Un de ses cousins, le cornouiller à tiges jaunes (*Cornus sericea 'flaviramea'*), arbore quant à lui de belles tiges jaunes et ne passe pas inaperçu dans le jardin en hiver. Le bouleau noir (*Betula nigra*) est un arbre fort gracieux, présentant une écorce d'apparence pelucheuse, couverte de grands lambeaux noirâtres et frisés. L'amélanchier glabre (*Amelanchier lævis*) est recherché pour la beauté de son écorce lisse de couleur gris clair.

Écran

Les écrans sont des constructions qui permettent de créer facilement et rapidement des zones d'intimité ou des barrières visuelles. On peut reproduire certains modèles de style classique, victorien, japonais ou rustique, apparaissant dans une revue horticole ou laisser aller un peu son imagination afin de construire une structure originale. Ces constructions peuvent dissimuler entièrement un coin du jardin où l'on veut cacher un élément disgracieux comme l'enclos à déchets, ou partiellement si on désire laisser passer un peu de lumière. L'important est que la structure s'harmonise avec la maison et le paysage. Voici quelques conseils relatifs à leur intégration au jardin :

- si l'on recouvre l'écran de plantes, il faut que celui-ci soit solidement ancré ;
- les plans verticaux font oublier le manque d'espace ;
- un écran trop haut produit un effet de cloisonnement.

Endurcissement des plantes

Quand on sort les plantes exotiques au printemps, ou les nouvelles plantes obtenues par semis ou bouturage, il faut les endurcir pour qu'elles tolèrent les conditions extérieures :

- sortir progressivement les plantes d'intérieur (les mettre à l'ombre sous des conifères, ensuite leur faire voir le soleil progressivement, les rentrer la nuit ou les couvrir avec des cloches ou des contenants) ;

- acclimater aussi les plantes annuelles ou vivaces qu'on achète dans les serres car elles ne sont pas encore habituées à vivre à l'extérieur.

Engrais inorganique

Les engrais industriels ou chimiques, comme on les appelle le plus souvent, nourrissent la plante plutôt que le sol et les micro-organismes. Ils sont donc parfois nécessaires si on a observé des carences sur une plante, comme une décoloration du feuillage ou des déformations structurales l'année précédente. On dispose ces engrais à la main autour des plantes en les enfouissant avec un sarcloir. Pour les surfaces gazonnées, la fertilisation est effectuée avec un épandeur. Les amendements inorganiques sont des compléments aux engrais organiques (compost)… à condition de bien respecter la dose recommandée par le fabricant. Si les plantes n'absorbent pas tous les éléments, ceux-ci s'accumulent. Ce phénomène entraîne la stérilité du sol, et le retour à l'équilibre demande de la patience car certains éléments ne se lessivent pas par les arrosages et les pluies et ils prennent des années à se dégrader.

Engrais organique

Pour que le sol du jardin soit de qualité, le traitement gagnant est d'y incorporer régulièrement un engrais organique, fabriqué avec des produits d'origine animale ou végétale, comme du compost, du fumier et des algues. Ces engrais produisent de la nourriture pour les plantes tout en rendant la structure du sol légère et aérée. Les fertilisants naturels peuvent être enfouis dans le sol aussitôt que la terre est facile à travailler au printemps. La texture du sol sera donc capable de retenir l'eau, l'air et les éléments minéraux nécessaires aux plantes. Celles-ci s'approvisionneront au fur et à mesure de leurs besoins.

Érable de norvège panaché

L'érable de Norvège panaché (*Acer platanoides* 'Drummondii') arbore un beau feuillage vert clair bordé de jaune crème qui a tendance à reverdir. Il faut alors supprimer les rameaux verts, car le caractère dominant de l'espèce envahirait graduellement l'arbre jusqu'à faire disparaître complètement la panachure de ses feuilles.

Erreur

« Un médecin peut enterrer ses erreurs, mais un architecte n'a que la ressource de planter une grimpante. »
Frank Lloyd Wright, célèbre architecte américain

Essence – déversement sur le gazon

Lorsque survient un déversement d'essence sur le gazon à la suite du remplissage du réservoir de la tondeuse, il faut immédiatement arroser le sol afin de disperser l'essence sur une plus grande surface ou épandre une couche de 10 cm (4 po) de tourbe, un excellent matériau absorbant.

Exposition

Analyse

- Analyser la situation au milieu de l'été, au début de juillet, car au printemps et à l'automne cette exposition n'est pas la même et n'est pas représentative ;
- vérifier la présence du soleil à 10 h 30, à 12 h 30 et à 15 h 30 ;
- dans un aménagement, les zones peuvent se chevaucher ;
- choisir les plantes en conséquence.

Mauvais rendement

Souvent on ne peut pas donner à nos plantes l'exposition idéale. On les essaie alors dans des conditions moins favorables : certaines s'y adapteront, mais d'autres refuseront carrément d'y fleurir ou se comporteront si médiocrement que tôt ou tard elles devront être enlevées et remplacées par des plantes mieux adaptées aux conditions de la zone de culture. Il faut donc bien délimiter les zones d'exposition pour choisir les plantes appropriées.

Types de zone

On retrouve habituellement les zones d'exposition suivantes dans les revues, dans les livres horticoles ou sur les étiquettes de vente :

- soleil : la plante requiert au moins six heures d'un bon ensoleillement, c'est-à-dire le soleil de 10 h à 16 h environ. En général, le soleil matinal ou de soirée est peu bénéfique pour ces plantes ;

- mi-ombre : la plante exige une période ensoleillée, mais celle-ci peut être plus courte que les six heures requises par les plantes de plein soleil ou écourtée par certaines périodes ombragées ;
- ombre : il existe quatre types d'ombre et chaque type possède ses caractéristiques propres. On doit choisir avec soin les plantes appropriées à ces conditions ;
- ombre tamisée : c'est l'ombre projetée par le feuillage des arbres ;
- ombre partielle : ombrage produit pendant une partie de la journée par une haie ou un bâtiment ;
- ombre pleine : les plantes sont toujours à l'ombre, mais reçoivent quand même une bonne lumière ;
- ombre dense : c'est probablement la condition la plus difficile pour les plantes, car la lumière y est tellement faible que seuls quelques végétaux réussissent à donner un bon rendement.

Fertilisation – fin d'été

- Les engrais organiques, comme un bon compost, sont préférables aux engrais chimiques ou de synthèse ;
- quand la température commence à descendre (mi-août), il faut arrêter d'appliquer des fertilisants de croissance pour favoriser le passage de la plante à la période de dormance avant l'hiver ;
- une fertilisation automnale peut être appliquée, si elle est nécessaire, pour procurer une réserve d'éléments nutritifs aux végétaux (feuillus et conifères) afin de favoriser leur résistance à l'hiver ;
- si le sol est acide, il faut le chauler.

Feuillage

La verdure a un effet apaisant et reposant, ce qui pousse plusieurs jardiniers à jouer avec le contraste des formes et des couleurs des feuillages. Alors que les fleurs passent souvent en quelques jours de l'éclat à la flétrissure, les feuillages, s'ils sont bien choisis, demeurent décoratifs tout l'été. Un jardin étant constitué d'au moins 80 % de feuillage, il est opportun de tenir compte de cet élément au moment de l'achat des plantes ornementales.

Petits jardins
Contrairement à ce qu'on pourrait croire de prime abord, il est possible d'introduire des plantes massives dans un jardin de ville, car elles ne diminuent pas la dimension d'un jardin mais lui donnent plutôt de l'élan et du style. Ainsi, les feuilles de grande taille ou sculpturales conviennent parfaitement à ce genre de jardin, car elles attirent immédiatement l'œil du visiteur.

Feuillage doré

Habituellement, les arbres et les arbustes au feuillage jaune ou doré exigent le plein soleil pour une bonne croissance et une coloration prononcée, car leur couleur provient d'une présence moindre de chlorophylle que dans ceux à feuillage vert ou bleuté.

Fléaux divers – produit de contact ou systémique

- Une légère attaque d'insectes, comme des pucerons verts sur les bourgeons floraux : produit de contact ;
- les mauvaises herbes du gazon (si plantes annuelles) : extraction manuelle ou produit de contact ;
- la plante est infestée d'insectes : produit systémique ;
- le feuillage d'un rosier présente des taches noires : il

est déjà trop tard pour prévenir le mal avec un produit de contact, il faut donc utiliser un produit systémique.

Fleur coupée

Une fleur coupée est un produit fragile et périssable. La durée de conservation des fleurs coupées dépend des traitements qu'on leur donne avant, pendant et après la coupe. De petits trucs simples peuvent prolonger leur fraîcheur, assurant une longévité de cinq à huit jours. Certaines fleurs offrent de meilleurs résultats et peuvent rester éclatantes de beauté pendant deux semaines.

Conseils

Tous ces conseils peuvent vous paraître exagérés au premier abord, mais ces gestes deviendront rapidement instinctifs et l'augmentation de durée de vie de vos bouquets de fleurs coupées vous étonnera :

• utiliser un vase propre : afin de minimiser les risques de contamination de l'eau, un bon nettoyage du vase avec de l'eau de Javel diluée est recommandé, surtout si on y a placé des fleurs coupées récemment. Si on ne peut frotter l'intérieur du vase parce que celui-ci est trop étroit, on peut utiliser un nettoyant pour dentier ;

• remplir le vase avec de l'eau tiède : de l'eau trop chaude ou trop froide stresse les fleurs coupées et celles-ci absorbent mieux l'eau tiède en général ;

- choisir des tiges saines : les fleurs doivent être fraîches et les boutons floraux bien colorés ;
- effectuer une coupe franche : il faut employer un couteau ou un sécateur bien tranchant pour ne pas écraser la tige ;
- couper les tiges en biseau : l'eau peut ainsi bien accéder à la tige et se rendre aux inflorescences ;
- effeuiller les tiges : les feuilles du bas de la tige qui seraient dans l'eau doivent être enlevées car elles pourriraient et accéléreraient la corruption de l'eau ;
- éliminer les sources de chaleur : la chaleur des calorifères, des téléviseurs et du soleil direct raccourcit la vie des fleurs coupées.

Eau

Plus la quantité d'eau est grande, plus elle demeurera « propre ». On trouve sur le marché des solutions désinfectantes pour retarder la corruption de l'eau. Deux ou trois gouttes d'eau de Javel ont sensiblement la même efficacité pour empêcher l'eau de croupir. À vous de choisir.

Taille

La taille des fleurs fanées est effectuée avant tout pour répondre à des critères esthétiques. Cette opération empêche aussi la plante de gaspiller de l'énergie inutilement en produisant des graines. Enfin, le fait d'enlever les fleurs fanées de certaines plantes, et parfois une partie de la hampe florale, permet une deuxième floraison et allonge le temps de floraison.

Nous savons tous cela, mais pourquoi certaines plantes se comportent-elles ainsi ?

Une plante produit des graines pour se multiplier. Si on enlève les fleurs fanées de certaines plantes, on les « dupe » en leur faisant croire qu'elles ont été « incapables » de produire des graines. Cela les incite à faire de nouvelles fleurs, pour former des graines et ainsi se reproduire.

Fleur séchée

Les arrangements de fleurs séchées se préparent pendant la belle saison. On peut les acheter dans les boutiques ou confectionner nos propres compositions. Des supports originaux en cuivre, en porcelaine, en bois ou en osier sont vendus sur le marché pour monter nos créations.

Récolte

- Prélever les tiges florales une journée ensoleillée, préférablement le matin (trop tard dans la journée, les fleurs peuvent être fanées par la chaleur) ;
- attendre que la rosée se soit évaporée ;
- couper les plus belles fleurs ;
- choisir celles qui ne sont pas complètement épanouies, car les fleurs à maturité peuvent s'égrener ;
- enlever les feuilles au bas de la tige ;
- récolter certaines fleurs comme les roses à différents stades de floraison ;
- cueillir les hortensias (hydrangées) lorsque les fleurs ont commencé à changer de couleur.

Séchage

Il existe plusieurs procédés de séchage. Le plus utilisé, car c'est le plus simple, est le séchage à l'air, en bouquets suspendus. Il convient à presque toutes les fleurs. Le temps de séchage varie selon les spécimens (d'une à quatre semaines) ; il faut donc vérifier de temps en temps l'évolution du séchage. Ce sont les fleurs bleues, orange et roses qui conservent le mieux leur couleur originale.

• Choisir un endroit sec et sombre (la noirceur favorise la conservation de l'authenticité des couleurs) ;
• opter pour des tiges en bon état et bien ramifiées ;
• les regrouper en paquets de 8 à 10 tiges (plus il y a de tiges, plus le temps de séchage s'allonge) ;
• lier les tiges avec une ficelle (raphia) ou un élastique ;
• les suspendre la tête en bas.

Fongicide – coccinelles

Souvent, j'aperçois des coccinelles qui sont en train de combattre les pucerons. Pour combattre la tache noire, je pulvérise un fongicide à base de soufre sans craindre pour la santé de mes alliées, car celui-ci n'a aucun effet néfaste sur elles. Mais ce n'est pas du tout le cas avec les insecticides !

Fontaine

Le rire de l'eau est un élément important dans le jardin. En effet, l'eau qui coule contribue à agrémenter la détente du jardinier. Qu'elle dégouline parmi les pierres, qu'elle jaillisse du sommet d'une sculpture, en simple filet ou en jet puissant, elle assure toujours un effet rafraîchissant. Les fontaines occupent donc une place de choix dans le jardin.

Fourche à foin à trois dents

Cet outil, utilisé autrefois par les fermiers pour déplacer des matériaux légers comme le foin, est idéal pour manipuler le compost à moitié décomposé d'un bac à l'autre.

Fourmi

Les fourmis sont beaucoup plus ennuyantes que dangereuses pour nos cultures. Ce sont plutôt les pucerons qu'elles élèvent pour se nourrir qui méritent notre attention. En effet, les pucerons, après avoir dévoré les boutons floraux et absorbé la sève des végétaux, secrètent un produit sucré, appelé miellat, une substance dont raffolent les fourmis.

Avant de recourir aux pièges et aux insecticides chimiques pour les combattre, on devrait essayer de les faire déménager. Pour les inciter à changer de loyer, on plante à proximité de la colonie des plantes aromatiques ou à forte odeur comme la menthe, l'œillet d'Inde ou l'ail. Si on souhaite un départ plus rapide, on verse du jus de citron sur le dessus de la fourmilière. La citronnelle produit une huile répulsive que les fourmis n'aiment pas et qui tiendrait même les pucerons à distance.

Framboisier

Cet arbuste fruitier émet de longues branches verticales épineuses à partir d'une tige souterraine qui est vivace. Ces tiges ont une durée de vie de deux ans (comme une plante bisannuelle). La première année la tige se développe ; elle donnera des fruits l'été suivant. Ensuite la tige meurt.

Anneleur

Si le bout d'une jeune pousse de framboisier flétrit, brunit et meurt, c'est qu'elle est attaquée par un insecte qu'on appelle l'anneleur. Si on regarde de plus près, au-dessous de la partie fanée, on observera deux rangées de trous à environ 2,5 cm (1 po) de distance et qui sont situés entre 10 et 20 cm (4 et 8 po) du bout de la tige. Lorsque la larve se rend à la base de la tige, cette dernière meurt.

À partir de juin, on devrait surveiller les plantes vulnérables, afin de vérifier si certaines tiges flétrissent. Il s'agit alors de couper la tige à environ 15 cm (6 po) sous les anneaux. Ce geste est habituellement suffisant pour contrôler efficacement ce ravageur.

Culture

- Les plants doivent être placés dans un endroit non venté ;
- pour éviter que les tiges ne se cassent sous le poids de la neige ou des fruits, elles doivent être tuteurées ;
- chaque printemps, il faut aérer le sol et le décroûter en le binant ;
- un paillis déposé au pied des framboisiers leur est bénéfique, car il conserve le sol frais, ce qu'aiment bien ces arbustes à fruits rouges, pourpres, noirs ou jaunâtres.

Taille de la première année

Au moment de la plantation, préférablement en automne, on étête (ou écime) le plant de moitié pour favoriser son enracinement et l'émergence de nouvelles pousses. Le framboisier fructifiera l'année suivante. Il n'y a donc pas de récolte l'année de la plantation.

framboisier
taille première année

framboisier
touffe deuxième année

Taille de la deuxième année
et des années subséquentes

Après la fructification, la tige se dessèche et meurt. On doit donc couper à la base les tiges qui ont donné des fruits (tiges brunes). Cette taille permettra aux rejets qui se sont formés à la base du framboisier au cours de l'été de prendre la relève et de fleurir l'année suivante. Il faut aussi tailler certaines pousses de l'année afin de limiter la densité des tiges au nombre de 15 par mètre de rang. On limite le plant à quatre ou cinq tiges, si le framboisier a la forme d'un buisson. Enfin, on doit enlever les tiges endommagées, malades ou qui ont gelé durant l'hiver.

Taille pour avoir une production
plus longue de fruits

Pour avoir une production de fruits étalée sur une plus grande période, on coupe certaines tiges à 15 po (40 cm) et on laisse les autres intactes. Les tiges qui ont ainsi été rabattues produiront leurs fruits de trois à quatre semaines plus tard que les autres.

Oiseaux

Saviez-vous que les hybrideurs produisent de plus en plus de framboisiers aux fruits jaunes parce que cette couleur attire moins les oiseaux que les teintes rougeâtres? Il est à noter qu'aujourd'hui ces variétés horticoles sont aussi savoureuses que celles à fruits rouges.

Cultivar remontant

Certaines variétés de framboisiers sont remontantes, c'est-à-dire qu'elles produisent des fruits dès la première année. Ces framboisiers sont complètement rabattus à l'automne. Au printemps, on garde quatre ou cinq drageons et on taille les autres. Ces arbustes fruitiers conviennent aux jardins situés en zone de rusticité 5.

Fruit décoratif

Plusieurs végétaux portent en automne des petits fruits fort décoratifs qui en plus peuvent nourrir les oiseaux.

Lorsqu'on se procure un arbuste ou un arbre, il est intéressant de tenir compte de sa fructification qui subsiste parfois une bonne partie de l'hiver. Quel spectacle de voir, un beau matin d'hiver après une chute de neige, des grappes de viorne trilobée sous une couche de neige poudreuse!

Des plantations fruitières améliorent l'habitat pour les oiseaux indigènes (jardinage ornithologique) et nous procurent un spectacle gratuit durant toute la saison morte, ainsi que lors des migrations.

Gazon

Un gazon en santé est résistant aux mauvaises herbes, aux maladies et aux insectes. On doit donc lui donner de bons soins, comme :
- ramasser les déchets au printemps et à l'automne ;
- aérer au printemps ou à l'automne (un an sur deux) ;
- déchaumer ;
- fertiliser au printemps avec du compost ;
- enlever les pissenlits avec un arrache-pissenlits ;
- planter des semences appropriées (compte tenu de l'exposition) ;
- opter pour des mélanges de semences plutôt que pour une graminée unique ;
- surveiller les maladies et les insectes.

Aération

Pour bien se porter, le gazon a besoin de soleil et d'air. On peut l'aérer au printemps, mais aussi à l'automne. Cette opération consiste à faire de petits trous dans le sol pour éviter le compactage des racines et faciliter la pénétration de l'oxygène. Un gazon qui respire bien possède un système racinaire vigoureux. On doit le faire avant le mois d'octobre, car plus tard les températures sont trop basses.

Déchaumage

Au printemps, il est préférable d'enlever l'herbe compactée au sol avec un râteau à déchaumer. On doit aussi continuer à ramasser les débris ou les parties mortes de plantes qui forment d'année en année un « feutre » qui empêche l'eau, l'air et les éléments nutritifs de se rendre au système racinaire.

Fertilisation

On recommande de ne pas ramasser le gazon coupé car il sert d'engrais. Même si ça ne le remplace pas complètement, on réduit ainsi le besoin d'engrais de 30 %. On complète en fertilisant avec un engrais naturel ou du compost.

Fertilisation automnale

On devrait épandre, avant octobre, un engrais fort en potasse du type 15-15-15. L'apport de fertilisant à l'automne n'a pas pour but de stimuler la croissance mais plutôt de fortifier le système racinaire afin de l'aider à passer l'hiver. En plus, cette fertilisation permet au gazon de se remettre des piétinements qu'il a subis durant la belle saison ainsi que de la décoloration provoquée par les chaleurs de l'été.

Soins de fin d'été et d'automne

- Profiter de la meilleure période de l'année pour l'ensemencement (de la mi-août à la mi-septembre) ;
- aérer le sol si cela n'a pas été fait au printemps ;
- effectuer une dernière tonte à 5 cm (2 po) du sol ;
- ratisser les feuilles sur le gazon (elles attirent les insectes et les maladies).

semis d'automne

Tonte automnale

Il faut continuer à tondre la pelouse par temps sec, tant que l'herbe pousse. La bonne habitude de la tailler durant cette période prévient les maladies en plus de réduire le travail de nettoyage du gazon au printemps. En effet, lorsque l'herbe est longue le nettoyage est plus difficile. Le gazon ne devrait pas mesurer plus de 5 cm (2 po) aux premières gelées. Un bon conseil : pour ne pas l'endommager, il faut éviter de marcher sur la pelouse lorsqu'elle est gelée et tant qu'elle n'est pas recouverte d'une couche de neige.

Vers blancs

De bonnes conditions de culture aident à contrôler ce fléau : une fertilisation appropriée, une bonne aération et un bon déchaumage au printemps. Des produits biologiques contenant des nématodes ont une certaine efficacité lorsque la population n'a pas atteint un seuil critique. Si le problème persiste, il existe sur le marché des pesticides spécifiquement conçus pour la lutte contre les vers blancs. On peut aussi « engager » une mouffette qui creusera dans la pelouse pour s'en nourrir… ou une corneille et un carouge qui raffolent de ces vers blancs.

Geranium ou Pelargonium

Le genre *Geranium*, créé par Linné (1707-1778), étant devenu trop vaste, les botanistes décidèrent de faire une classification plus pratique. Vers 1789, L'Héritier (1746-1800) établit la scission que l'on connaît aujourd'hui, soit les genres *Erodium*, *Geranium* et *Pelargonium*. Cette nouvelle nomenclature fut consacrée vers le début du XIX⁰ siècle par les scientifiques.

Cependant, dans l'opinion populaire, qui nous prouve sa ténacité face aux batailles de nomenclature, le genre *Pelargonium* n'a pas encore gagné ses lettres de noblesse et on appelle encore les pélargoniums « géraniums de jardin », faisant fi de l'orientation scientifique qui consacre le genre *Geranium* aux « géraniums vivaces ».

Géranium vivace

Les géraniums sont surtout des plantes vivaces et la plupart, heureusement pour nous, sont rustiques au Québec. Ils présentent une bonne résistance aux maladies, n'étant sujets qu'occasionnellement à l'attaque de champignons. Les géraniums préfèrent une situation ombragée. Ce sont de jolis couvre-sol, qui affichent parfois la modestie (simplicité de la fleur), mais qui peuvent nous aider à garnir des endroits difficiles : terre ingrate, endroit peu ensoleillé, pente, etc.

Aménagement

- Ombre sèche : *G. endressii, G. macrorrhizum, G. nodosum, G. phæum* ;
- ombre humide : *G. phæum* 'Variegatum', *G. macrorrhizum* 'Variegatum' ;
- soleil : *G. cinereum* 'Ballerina', *G. magnificum, Geranium* 'Johnson's Blue' ;
- bordure : *G. Clarkei* 'Kashmir White', *G. endressii, G. renardii, G. sanguineum, G. yoshinoi, Geranium* 'Chocolate Candy' ;
- couvre-sol sous des arbres : *G. macrorrhizum, G. nodosum* ;
- rocaille : *G. cinereum* 'Ballerina', *Geranium* 'Chocolate Candy' ;
- potées fleuries : *G. cinereum, G. dalmaticum.*

Disponibilité

En 1975, le fameux répertoire anglais *Plant Finder* recensait 53 espèces et cultivars de géraniums, alors que l'édition 2002-2003 en inventorie plus de 650. Les nombreux nouveaux hybrides font en sorte que les géraniums vivaces connaissent un regain de popularité depuis 1975.

Mes préférés

Espèce ou cultivar	Hauteur	Floraison	Fleur	Particularité
G. 'Chocolate Candy'	15 cm	06/08	rose	Feuillage brun
G. 'Johnson's Blue'	50 cm	06/07	bleue/pourpre	Feuilles découpées
G. cinereum 'Ballerina'	15 cm	06/07	lilas/pourpre	Petit géranium
G. clarkei 'Kashmir White'	40 cm	06	blanche/rose	Racines rhizomateuses
G. endressii	35-45 cm	06/07	rose	Se ressème
G. himalayense 'Birch Double'	45 cm	06/07	violette/lilas	Fleurs doubles
G. macrorhizum 'Variegatum'	40 cm	06/07	rouge	Feuillage panaché
G. nodosum	30/50 cm	06/07	rose/lilas	Ombre sèche
G. oxonianum 'Thurstonianum'	60 cm	06/07	pourpre/magenta	Fleurs originales
G. phaeum 'Samobor'	60 cm	06/07	pourpre foncé	Plante spectaculaire
G. psilostemon	1,2 m	06/07	rouge/magenta	Grand géranium
G. renardii	25 à 40 cm	06/07	blanche/pourpre-violet	Plante charmante
G. sanguineum	40 cm	06/07	rouge/carmin	Tolère le soleil
G. sylvaticum 'Album'	50 cm	05/06	blanc pur	Se tient bien
G. wallichianum	50 cm	08/10	violet/mauve	Feuillage marbré
G. yoshinoi	20-25 cm	08/10	rose/magenta	Plante rampante

Gloire du matin

La gloire du matin (*Ipomoea*) était la plante grimpante la plus populaire dans le jardin de nos grands-mères. Il est surprenant qu'on ait presque arrêté de la cultiver. Aujourd'hui, cette belle plante annuelle fait un retour remarqué. On a redécouvert sa croissance rapide et son efficacité à garnir un treillis ou un obélisque, des traditions victoriennes qui ont certainement influencé nos grands-mères à les planter. Comme quoi on savait « faire les choses » à l'époque. De nouveaux cultivars donnent une floraison qui dure plus longtemps que la période « du matin », rendant ainsi plus intéressante cette plante volubile.

Glycine

Culture au Québec

Plusieurs jardiniers québécois réussissent à cultiver la glycine du Japon (*Wisteria floribunda*) mais le hic, c'est qu'elle ne veut pas fleurir… Les problèmes peuvent commencer à l'achat. Une glycine obtenue à partir de semis peut prendre une dizaine d'années à fleurir. Il faut plutôt opter pour un plant qui a été greffé sur une vigne ; il produira tôt en saison. On doit donc s'informer de cette particularité auprès du vendeur. Bien entendu, il faut savoir que le plant est rustique en zone 5, parfois en zone 4, mais que le bouton floral résiste rarement aux froids hivernaux du Québec.

Taille

La taille revêt une importance capitale pour assurer la floraison d'une glycine. En effet, si on la laisse aller, elle envahira tous les supports qu'on lui donnera, mais sans fleurir, car cette plante aime produire de la végétation. La première année, on laisse aller une seule tige maîtresse et on la tuteure. Au début du printemps suivant, on rabat cette pousse du tiers de sa longueur. Les autres pousses qui se développeront latéralement doivent être palissées à l'horizontale et taillées du tiers chaque printemps. De plus, il faut toujours supprimer les pousses émises par la base du plant. Bien entendu, la technique de taille est beaucoup plus complexe, mais ces quelques informations illustrent sommairement les principes directeurs à observer et surtout l'importance de la taille pour une bonne floraison. Si chez vous le climat est propice à la culture de la glycine, il vaut la peine de « professionnaliser » votre méthode et, qui sait, de réussir à faire fleurir abondamment une glycine au Québec. Un de mes amis réussissait (il est décédé aujourd'hui) très bien la culture de cette belle plante à Saint-Denis, dans la région de Kamouraska. Sa glycine fleurit chaque année et elle plantée sur un cap, comme quoi la misère ne lui fait pas de tort !

Graine

Germination

Pour nous, les jardiniers, une graine a germé quand elle a donné une jeune plante.

Sommeil végétal

Au premier abord, une graine viable paraît sèche et morte. Pourtant, c'est un organisme bien vivant qui possède tous les éléments pour germer. La germination nécessite de l'air, de l'eau, de la chaleur et plus ou moins de lumière. Certaines graines germent facilement. D'autres se sont munies de protections afin d'assurer leur survie. Ainsi, certaines semences ne germent pas avant la fin d'une période de froid. Si on sème ce genre de graines, elles exigent donc des prétraitements pour sortir de leur dormance.

Prétraitements

Ce sont des traitements physiques, mécaniques ou chimiques qui rendent une graine capable de germer. Les plus connus sont la scarification et la vernalisation (stratification). Les bons grainetiers donnent les indications spécifiques sur le sachet de graines ou dans un dépliant sur les exigences préalables à la germination des semences.

Scarification

La scarification est un prétraitement qui lève un type de dormance (dormance cuticulaire) lié à la dureté de l'enveloppe de la graine. La coque très dure de ces semences empêche l'absorption de l'eau et l'échange de gaz nécessaires à la germination. La brisure de la dormance s'effectue dans la nature lorsque la graine pourrit. On peut « réveiller » artificiellement les graines en les amollissant par un trempage de 24 à 48 heures dans l'eau chaude. Certaines graines ont une enveloppe imperméable et nécessitent des incisions avec une lame ou des abrasions avec un papier d'émeri. Attention de ne pas trop frotter les petites graines afin de ne pas endommager l'embryon.

Exemples : plusieurs plantes tropicales, les lupins annuels ou vivaces, les pois de senteur, certains arbres comme le tilleul, le noyer et le chêne.

Vernalisation

Dans la nature, certaines graines, appelées graines de climat froid, tombent au sol au cours de l'été et ne germent qu'après une période de température froide correspondant à l'hiver. Ce processus leur permet de germer au printemps plutôt qu'à l'automne, c'est-à-dire lorsque la température est assez chaude pour leur permettre de survivre. On peut forcer la nature en plantant ces graines dans un pot qu'on laisse dehors pour que le froid, le gel et l'eau brisent l'état de dormance. On peut aussi simuler artificiellement ces conditions. Il suffit de semer les graines dans un terreau humide. Ensuite, on place le contenant au réfrigérateur ou au congélateur pour une période de trois semaines à trois mois, selon les exigences spécifiques. Attention, certaines semences exigent deux périodes de froid, ou même trois.

Exemples : l'aconit, le chrysanthème, le delphinium, la gentiane, le phlox, plusieurs arbres et arbustes.

Graminées – taille

Étant donné que le feuillage séché des graminées est très décoratif en hiver, généralement on ne le coupe pas à l'automne. Il est aussi préférable de laisser intact les tiges des graminées pour que celles-ci en s'affaissant sur le plant le protègent du gel. Au printemps, il faut donc nettoyer les plants le plus tôt possible avant la repousse, en coupant les feuilles séchées avec des ciseaux à haie.

Griffe à trois dents à long manche

Il n'est pas facile d'éliminer les mauvaises herbes sous de grands rosiers arbustifs ni d'y ameublir la terre sans s'égratigner les mains. Un outil peut cependant nous éviter cet inconvénient. Il s'agit de la griffe à trois dents à long manche. Pourvue de trois dents et d'un manche assez long pour travailler le dos droit, elle nous épargne courbatures et écorchures. De plus, cet instrument, à cause de sa longue portée, nous évite de piétiner les plates-bandes et ainsi d'y compacter le sol. Comme cet outil travaille dur, mieux vaut opter pour un modèle haut de gamme.

Guêpe – précieuse alliée

Le plaisir d'un repas au jardin est souvent gâché par le va-et-vient d'une guêpe qui tournoie autour de nous et de nos assiettes. Nous avons beau essayer de l'éloigner à coups de serviette ou avec nos mains, nous demeurons impuissants. Même si on peut avoir à ce moment-là des pensées pas très « catholiques » envers cet agresseur tenace, il faut se rappeler qu'elle est une précieuse auxiliaire pour le jardinier. « Une guêpe de moins représente 1 000 mouches et 1 000 chenilles de plus », dit-on. Lorsqu'une guêpe tourne autour de nous, il ne faut pas nous agiter et elle s'éloignera rapidement sans nous importuner.

H

Haie libre

On aménage une haie libre en laissant les arbustes, les conifères et les arbres prendre leur forme sans taille. On choisit des végétaux de petite taille ou étroits qui ont une croissance assez rapide, afin que l'écran se forme en peu de temps. Des végétaux à feuillage caduc et persistant sont placés en alternance. Il faut prendre conscience qu'une haie libre exige plus d'espace qu'une haie taillée. On privilégie des formes columnaires et à petit développement. On obtient ainsi :

- un aspect plus naturel ;
- une haie avec moins d'entretien ;
- un écran visuel ;
- un brise-vent ;
- un caractère ornemental toute l'année ;
- des contrastes de couleurs, de feuillages et de textures ;
- une bonne diversité de végétaux qui assure une résistance aux maladies ;
- une place à l'originalité ;
- l'absorption des émanations des véhicules ;
- l'assourdissement des bruits.

Haie semi-libre

La haie semi-libre est taillée sur la largeur mais pas sur la hauteur. Elle est constituée de végétaux différents, comme la haie libre.

Haie taillée

Une haie taillée est un muret végétal constitué d'un seul type de plantes (par exemple, une haie de thuyas occidentaux, appelés communément cèdres).

Hémérocalle

L'hémérocalle est cultivée depuis des siècles. Originaire de l'Orient, elle a servi d'abord à des fins médicinales et alimentaires. L'hémérocalle est d'ailleurs encore utilisée aujourd'hui en médecine chinoise. Depuis le XVIe siècle, période où elle est parvenue en

Europe, c'est son aspect horticole qui retient l'attention, principalement la beauté de ses fleurs.

Introduites en Amérique vers 1620, donc dès le début de la colonie, l'hémérocalle fauve (*Hemerocallis fulva*) et l'hémérocalle jaune (*Hemerocallis flava* syn. *Hemerocallis lilioasphodelus*) ont été les premiers « lis d'un jour » à être cultivés en Amérique.

Culture
Les hémérocalles prospèrent bien en plein soleil ou à l'ombre partielle. Plusieurs sont rustiques jusqu'en zone 3 ; on peut donc les cultiver dans presque toutes les régions du Québec. Les floraisons des spécimens à feuilles persistantes provenant du sud des États-Unis sont cependant plus frileuses. Leur floraison s'étend de juillet à août. Les hémérocalles aiment un sol argileux qui retient bien l'humidité (une bonne nouvelle pour ceux qui doivent cultiver dans un sol glaiseux). Elles sont aussi capables de se contenter d'un sol pauvre. Enfin, elles sont résistantes aux maladies et aux insectes. Que demander de plus !

Achat par la poste
Les hémérocalles peuvent être achetées par la poste, de préférence au printemps. Elles sont alors livrées les racines nues. La reprise ne pose pas de problème, car la plante peut survivre en puisant dans ses réserves. Cependant, il vaut toujours mieux faire affaire avec des fournisseurs reconnus, qui livreront des plants fraîchement déterrés.

Calendrier des soins

Printemps	Juin	Juillet	Août	Automne
• Nettoyage des feuilles mortes pour éviter la propagation de maladies. • Division des talles pour multiplication. • Plantation de nouveaux plants reçus par la poste. • Fertilisation avec compost ou engrais à vivaces.	• Taille des fleurs fanées.	• Taille des fleurs fanées. • Arrosage si canicule.	• Taille des fleurs fanées. • Division à la mi-août.	• Nettoyage des feuilles mortes pour éviter la propagation de maladies. • Taille des fleurs fanées. • Pose d'un paillis pour protéger les nouveaux plants des rigueurs du premier hiver.

Fleur comestible

Les fleurs des hémérocalles sont comestibles. Elles ont un goût à la fois sucré et poivré, selon les spécialistes en la matière.

Maladie du printemps

Les feuilles se tortillent, deviennent tachées et même trouées. On recommande d'arracher les feuilles endommagées jusqu'à ce que « l'été arrive pour de bon », le feuillage ne se comportant pas ainsi lorsque les températures sont assez chaudes. Ce phénomène n'a apparemment aucun impact sur la santé de la plante.

Herbe

Les herbes aromatiques sont des plantes utilisées depuis plusieurs siècles par l'humanité pour se guérir des maladies, embaumer l'air, teindre les vêtements, assaisonner la nourriture, faire des bouquets, etc. Elles apportent aujourd'hui forme et couleur aux massifs floraux. Certaines font d'excellents pesticides naturels, alors que d'autres attirent les insectes pollinisateurs. Du jardin de simples (jardin médicinal) au jardin disposé en motifs de broderie, les herbes offrent donc de grandes possibilités.

Envahissante

- La menthe (*Mentha*) : toutes les espèces et tous les hybrides de menthe s'étendent rapidement par leurs racines et envahissent très vite l'endroit où ils sont cultivés ;
- la consoude officinale (*Symphytum officinalis*) : cette vivace qui tolère l'ombre porte au printemps des fleurs pendantes bleu azur ; un petit bout de racine devient rapidement un plant mature ;
- la tanaisie commune (*Tanacetum vulgare*) : cette vivace accepte presque tous les genres de sol et elle s'étend rapidement ; il faut donc la contrôler régulièrement ;
- la valériane officinale (*Valeriana officinalis*) : cette plante qui présente de belles ombelles aux fleurs blanches ou légèrement rosées se ressème très facilement, trop facilement.

Pollinisateur

Les herbes peuvent être des compagnes très utiles dans le potager ou dans les massifs floraux. Par exemple, certaines attirent les insectes qui assurent la pollinisation, comme les abeilles et les papillons :
- l'aneth (*Anethum graveolens*) : l'aneth est une ombellifère dont les fleurs charment les abeilles ;

- le fenouil commun (*Fœniculum vulgare*) : les guêpes aiment le fenouil et l'aneth ; la guêpe, en pondant ses œufs sur des insectes nuisibles, est une bonne alliée dans nos jardins car sa progéniture dévore l'hôte indésirable ;
- la mélisse officinale (*Melissa officinalis*) : cette plante mellifère attire de nombreux pollinisateurs pour la fécondation des espèces fruitières ;
- le thym (*Thymus*) : le thym attire les abeilles.

Fongicide

Certaines herbes ont la propriété de prévenir l'attaque de champignons :
- l'ail (*Allium*) : cette plante vivace crée une barrière préventive contre le mildiou, entre autres ; l'ail protège aussi les roses contre la tache noire ;
- la camomille (*Anthemis nobilis*) : des pulvérisations sur les semis du jardin empêchent la formation de pourriture ;
- la ciboulette (*Allium schoenoprasum*) : on recommande de planter dans les vergers de la ciboulette pour aider les arbres fruitiers à lutter contre certains champignons.

Insecticide

Certaines herbes peuvent être de véritables remparts biologiques contre les insectes. Par exemple, pour éloigner les fourmis, on peut planter à proximité des lieux infectés de l'armoise (*Artemisia abrotanum*), de la menthe (*Mentha*) ou de la tanaisie commune (*Tanacetum vulgare*). Voici d'autres herbes précieuses en ce sens :

- l'absinthe (*Artemisia absinthium*) : l'odeur très forte de l'absinthe éloigne les insectes, dont les fourmis ;
- l'ail (*Allium)* : cette plante éloigne les pucerons ;
- l'anis (*Pimpinella anisum*) : le parfum de l'anis est un bon répulsif contre les pucerons ;
- la lavande à feuilles étroites (*Lavandula angustifolia*) : les bouquets de lavande éloignent les insectes ;
- la menthe (*Mentha*) : cette vivace serait un bon insecticide contre les puces ;
- la sauge officinale (*Salvia officinalis*) : elle fait fuir les mouches de la carotte, la noctuelle du chou et les tiques ;
- le tagète (*Tagetes*) : il est un bon répulsif contre les pucerons ;
- la tanaisie commune (*Tanacetum vulgare*) : elle éloigne les fourmis, les pucerons et les chenilles ; on peut en planter près de l'entrée de la maison pour empêcher les fourmis de l'envahir ; elle chasse aussi les scarabées japonais et les punaises de la courge.

la tanaisie commune
(*Tanacetum vulgare*)

Source vitaminique

Certaines herbes peuvent même nous aider à garder une bonne santé :

- le persil frisé (*Petroselinum crispum*) : cette plante bisannuelle, qui aime un sol riche et le plein soleil, est très riche en vitamine C ;

- la consoude officinale (*Symphytum officinalis*) : cette herbe est riche en vitamines A et C ;
- le pissenlit (*Taraxacum officinale*) : il est riche en vitamine A et en sels minéraux.

Heureux accident

« L'heureux accident », c'est le fait qu'une plante pousse à un endroit imprévu, créant souvent un décor spontané mais très réussi.

Plante annuelle

Les plantes annuelles qui se ressèment chaque année peuvent aussi générer d'« heureux accidents », comme les pavots somnifères (*Papaver somniferum*). Ces plantes très libertines tapissent les espaces dénudés et donnent un aspect naturel au jardin. De plus, leur feuillage souvent grisâtre met en valeur la floraison des plantes compagnes. Certaines vivaces de courte durée (presque des plantes annuelles ou bisannuelles) peuvent aussi participer à cette mise en scène. En effet, plusieurs font des semis spontanés, telles que le corydale jaune (*Corydalis lutea*) à l'ombre ou le lupin (*Lupinus*) en plein soleil.

Plante bisannuelle

À ce titre, les plantes bisannuelles sont de vraies magiciennes et renouvellent le spectacle chaque année. Bien souvent ce sont des digitales pourpres (*Digitalis purpurea*) qui ont envahi un massif de rosiers arbustifs et qui s'harmonisent parfaitement à la composition florale. C'est parfois une pensée (*Viola*) qui pousse dans un endroit insoupçonné, dans l'interstice d'un sentier de pierre ou à travers les joints d'un muret de pierres sèches.

Certaines de ces plantes échappent quelquefois à mon sarclage, qui se veut une « censure inspirée », et elles gagnent leur droit de cité parce qu'elles s'intègrent harmonieusement à leur environnement. Les pâquerettes (*Bellis perennis*) et les coquelourdes des jardins (*Lychnis coronaria*) réussissent aussi souvent ce tour de force. Les œillets de poète (*Dianthus barbatus*) et les roses trémières (*Althaea rosea*) sont aussi des vedettes qui peuvent créer des surprises intéressantes.

Hiver

Végétaux au feuillage persistant

C'est peut-être en hiver que l'on admire le plus les plantes au feuillage persistant. D'abord parce que le vert de leur feuillage ne se confond plus avec le vert du gazon et la verdure en général. Ensuite, parce qu'on prend le temps à ce moment d'admirer ces survivants, qui nous apparaissent comme des miraculés ayant échappé au déshabillage automnal. Quel spectacle nous offre le houx (*Ilex*) à ce moment-là, surtout lorsqu'il arbore des fruits ! Ces plantes prennent donc leur revanche vis-à-vis du peu d'intérêt que nous leur portions durant l'été.

Visages

L'hiver présente trois visages différents aux horticulteurs québécois.

Premier visage – D'abord, le début de l'hiver est la
période où la silhouette de toutes les plantes est
encore perceptible, avec une mince couche de neige
qui apparaît et disparaît. La présence des feuillages
jaunis ou rougis vient nuancer le brun du sol, le vert du
gazon et le blanc de certaines journées. Les fleurs
desséchées des hortensias « Annabelle », coiffant des
tiges dénudées, décorent encore le jardin. Quelques
asters tardifs osent fleurir à côté des orpins d'automne
qui gardent encore presque toute leur splendeur. La
plupart des arbres et des arbustes fruitiers viennent
colorer ce paysage.

Deuxième visage – Le plein hiver est l'époque où la
neige s'accumule, épaissit au fur et à mesure son
manteau blanc et camoufle presque tout pour ne
laisser deviner que les étages supérieurs des grands
végétaux. Les clématites encore suspendues aux
treillis ou sur la clôture de perche nous charment
encore par leurs fruits plumeux séchés. Les plantes
les plus hautes retiennent leurs graines ou leurs fruits
pour colorer et agrémenter le paysage. Les conifères
de bonne dimension montent la garde au milieu du
jardin. Nous profitons de notre sortie pour remplir les
mangeoires et pour admirer ces beautés que la Nature
nous donne.

Troisième visage – La dernière période, promesse
de nos jardins estivaux, nous présente les premiers
signes de vie des plantes qui sortent graduellement de

leur dormance. La nature s'éveille tranquillement. Nous commençons à voir le jaune des tapis de la sagine à feuillage doré (*Arenaria verna* 'Aurea'), après la fonte graduelle de son coussin protecteur qui l'a protégée durant les durs froids de l'hiver. Les premiers oiseaux qui ont migré vers le sud nous reviennent : le spectacle d'un merle d'Amérique cherchant des lombrics sous la couverture de neige est formidable. Comme c'est amusant de constater son courage et sa persévérance, qualités qui nous seront utiles lors du nettoyage printanier de notre cour et de nos plates-bandes !

Hortensia

L'hortensia, qui est plutôt connu sous le nom d'hydrangée au Québec, est un arbuste rustique dans la plupart des régions, à part quelques spécimens. Garnie de feuilles en cœur aux bords dentelés, cette belle plante ornementale à la floraison automnale produit des fleurs sous forme de grosses boules vertes, blanches, roses, rouges ou violettes. Lorsque l'été tire à sa fin, les hortensias sont des vedettes incontestables. Les fleurs laissées sur l'arbuste sont aussi décoratives durant l'hiver. Pour présenter une plus belle floraison, les hortensias doivent être arrosés pendant les canicules de l'été. Cet arbuste prospère bien à la mi-ombre.

Acidité

La teinte de la floraison de certains hortensias varie selon la nature du sol. Les espèces qui sont roses ou rouges peuvent devenir violacées ou bleutées si l'on acidifie le sol. Pour maintenir le « bleu » des hortensias, il faut épandre de la mousse de tourbe ou des produits comme des sulfates d'alumine qui permettent de garder le sol acide. Les hortensias à floraison blanche ne répondent pas au changement de pH du sol (acide ou basique) ; par conséquent, leurs fleurs ne changent pas de couleur.

Hostas

Plusieurs hostas sont vulnérables à l'appétit vorace des limaces, comme les cultivars 'August Moon' et 'Francee'. Cependant, certains cultivars seraient plus résistants aux attaques de ces prédateurs ou ne conviendraient tout simplement pas à leur régime alimentaire. Parmi ceux-ci on trouve les hostas 'Gold Edger', 'Invincible', 'Sum and Substance' et 'Zounds'. Il semblerait aussi que les hybrides du hosta de Siebold (*H. sieboldiana*) et de l'espèce *tokudama* ne soient pas la nourriture préférée des limaces. Je connais quelques jardiniers qui ont le dessus sur ces prédateurs en plantant leurs hostas à l'est pour que le soleil du matin les assèche rapidement.

Huile horticole

Au printemps, les massifs exigent un bon nettoyage : feuilles qui n'ont pas été ramassées à l'automne, détritus de feuillage, déchets transportés par le vent, etc. Certains déchets sont douteux parce qu'ils proviennent de plantes qui étaient malades l'année précédente et qui ont ainsi porté des formes hivernantes du parasite ou de la maladie dont elles étaient atteintes. Par exemple, les champignons responsables de la tache noire résistent à nos hivers rigoureux et contamineront nos plantes à nouveau si nous ne les éliminons pas au printemps.

Après avoir enlevé tous les éléments souillés et les avoir détruits, il est prudent d'effectuer un traitement préventif sur les branches nues des rosiers, par exemple, ainsi que sur le sol, celui-ci ayant été contaminé par les détritus qui y ont passé l'hiver. Une pulvérisation d'huile horticole diminuera les risques de propagation des parasites. Lorsqu'on cultive des plantes sensibles à ces fléaux, il faut mettre toutes les chances de son côté.

Hybrideur

Personne qui a créé, ou découvert, un nouveau cultivar, distinct, homogène et stable. Ce peut être aussi l'employeur de la personne précitée ou celui qui a commandé son travail.

Hydrorétenteur

Ce sont des substances (polymères hydrophiles) intégrées à des substrats de plantation afin d'augmenter leur capacité de rétention d'eau.

Identification des plantes

Il arrive qu'on endommage des plantes au printemps lorsqu'on retourne la terre, parce qu'on ne soup-çonnait pas qu'elles poussaient à cet endroit. Souvent, par mégarde, on a arraché l'étiquette de vente ou d'autres plaques d'identification mal fixées lors des nettoyages automnaux et printaniers. On peut aussi oublier le nom d'une plante et perdre ainsi son identité à jamais. Il faut donc un système fiable qui nous serve de mémoire.

Bien entendu, même si on a un système de pla-quettes durable, il est toujours prudent de conserver une trace écrite, dans un registre, des plantes qu'on achète et qu'on cultive.

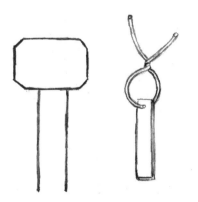

Données possibles
- Le nom botanique de la plante ;
- un numéro renvoyant à un inventaire ;
- le dessin ou la photo du légume ou de la plante.

Écriture
- Les étiquettes écrites à la main ;
- les étiquettes gravées au burin ou au poinçon ;
- les étiquettes imprimées par ordinateur.

Étiquette non appropriée
Les caractéristiques d'une étiquette non appropriée :
- un espace trop restreint pour écrire les données d'identification ;
- un système d'ancrage pas assez long pour être profondément entré dans le sol ;
- un matériel qui est altéré par le temps ;
- une étiquette qui n'est pas esthétique.
  Voici des exemples :
- l'étiquette de vente : elle ne demeure pas longtemps en place et est déplacée par le gel, le vent, le nettoyage printanier ou automnal ;
- des bâtons de *popsicles* ou des couteaux en plastique blanc : pas beaucoup de place pour écrire les données, et on ne peut les enterrer profondément dans le sol ;
- des étiquettes trop grosses ou trop voyantes : elles brisent l'aspect esthétique d'une plate-bande.

Étiquette de transition

Les caractéristiques d'une étiquette de transition :

- une étiquette rapide à fabriquer ;
- un espace suffisant pour écrire lisiblement les données ;
- une facilité de mise en place à la plantation en attendant un système plus raffiné ;
- un ancrage assez résistant ;
- un certain esthétisme ;
- une résistance moyenne aux intempéries.

  Voici des exemples :

- des bandes de plastique : tailler des lamelles dans des couvercles de gros contenants comme ceux de crème glacée avec des ciseaux, graver ces bandes de plastique avec un clou ou un crayon de plomb ;
- des lamelles de store : couper une bonne longueur et écrire le nom avec des crayons indélébiles ;
- des lamelles de bois : utiliser de petites lattes ou des baguettes comme celles qu'on prend pour brasser la peinture.

Étiquette durable

Les caractéristiques d'une étiquette durable :

- un espace suffisant pour les inscriptions ;
- une bonne résistance aux intempéries ;
- un système d'ancrage adéquat pour résister au râtelage, au gel et au vent ;
- un aspect esthétique ;
- un caractère de longue durée.

Voici des exemples :

- des plaquettes de bois : les buriner ou y coller une étiquette et les protéger avec un vernis extérieur ;
- des plaquettes de métal : utiliser une plaque d'aluminium ou de cuivre qu'on peut découper facilement, y graver le nom avec un crayon, un burin ou un poinçon, puis percer un trou et fixer à un support qui pénètre profondément dans le sol ;
- des galets ou des pierres de couleur : écrire le nom des plantes avec un crayon feutre indélébile ou une peinture (par exemple, du correcteur liquide) résistant aux intempéries.

Infusion

Une infusion est préparée en versant de l'eau bouillante sur la plante et en laissant reposer de 5 à 15 minutes avant de filtrer. Il faut prendre bien soin de couvrir le récipient de façon à éviter l'évaporation.

Insecte – piégeage

Un moyen de contrôle et de lutte efficace est l'utilisation de pièges collants. Ils ont un grand pouvoir attractif et sont non toxiques. Par exemple, le jaune semble avoir un pouvoir de séduction irrésistible pour les pucerons. Ces pièges peuvent être aussi blancs, bleus, rouges ou verts. On les installe ou on les accroche près du feuillage des plantes. Les insectes volants s'y collent et y demeurent prisonniers. En vérifiant quotidiennement ces pièges, on peut facilement déceler la diminution ou l'augmentation des ravageurs d'une plante, et ainsi déterminer s'il y a lieu d'appliquer des mesures de lutte plus importantes.

Cette méthode est efficace contre plusieurs insectes dont la mouche blanche, les aleurodes et les pucerons.

Insecticide

Un insecticide tue les insectes sans discrimination, les bons comme les mauvais. Il vaut donc mieux aiguiser son sens de l'observation pour combattre l'attaquant le plus tôt possible, l'enlever manuellement, lui couper le chemin par des barrières, donner de l'aération à la plante, etc. Si l'attaque persiste, des produits naturels de contact peuvent être appliqués car ils se dégradent très
vite, contrairement aux produits chimiques qui continuent à polluer longtemps après leur application. Ce n'est donc qu'en dernier recours et si l'on tient absolument à récupérer la plante malade qu'il faut sortir l'artillerie lourde des produits systémiques.

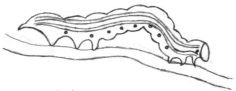

la fausse-arpenteuse

Artillerie

- Insecticide de contact : produit qui est efficace strictement à la surface de la plante ; les insectes doivent donc être touchés par la pulvérisation pour être éliminés.
- Insecticide systémique : produit qui pénètre dans la plante et l'empoisonne. Les insectes qui s'en nourrissent meurent donc systématiquement.

Traitement

- Légère attaque d'insectes, comme des pucerons verts sur les bourgeons floraux d'un rosier : boyau d'arrosage et produit de contact ;
- Plante infestée d'insectes : produit systémique.

Insecticide et fongicide

Nouvelle gestion

Une bonne gestion des pesticides doit maintenant faire partie de notre vie, pour assurer la beauté de nos surfaces gazonnées et de nos plantes ornementales. La nouvelle approche en jardinage veut qu'éviter les pesticides nocifs pour notre environnement devienne un geste naturel. On doit donc adopter de nouvelles pratiques écologiques, car plusieurs produits, qui étaient dommageables pour nous et notre environnement, ne sont plus sur le marché. Ainsi, c'est le temps au printemps et à l'automne de faire des gestes concrets pour lutter contre les maladies et les insectes. Les mesures sanitaires entreprises à ces périodes sont très importantes : ramassage des feuilles contaminées, élimination des débris de toutes sortes qui peuvent devenir des lieux d'infection ou des nids d'insectes, application d'huile insecticide, traitement des blessures des arbres, taille d'entretien, etc.

En résumé, il faut désormais :

- appliquer des mesures préventives ;
- attaquer le problème à sa base (mauvais choix de végétaux, plante placée au mauvais endroit, problème de drainage, degré de rusticité douteux, etc.) ;
- fertiliser le moins chimiquement possible, privilégier des produits naturels ou biologiques comme le compost ;
- opter pour des solutions permanentes plutôt que temporaires ;
- choisir les pesticides les moins nocifs possible pour l'environnement (naturels ou biologiques).

Utilisation des produits

- Respecter les doses prescrites (trop concentrée, la dose peut brûler, mais pas assez forte, elle détruit sans atteindre le but visé) ;
- utiliser des produits spécifiques afin d'éviter de tuer des organismes utiles ;
- prendre des produits « prêts à être utilisés » pour ceux qui n'aiment pas faire des mélanges ;
- consulter un spécialiste qui discutera avec vous du problème et vous conseillera.

Iris

Cette plante arriva en Amérique au début du XVIIᵉ siècle. Les iris que l'on trouvait le plus souvent dans les jardins étaient des iris barbus, bleus ou jaunes, très parfumés.

Calendrier des soins

Mois	Culture et soins
Printemps	• Butter avec de la terre les rhizomes déchaussés par le gel, ne pas les écraser. • Supprimer les feuilles mortes qui abritent les larves et les maladies fongiques. • Pailler les iris qui préfèrent un milieu humide (*I. sibirica* et *I. ensata*).
Mai	• Planter et transplanter les iris de Sibérie (*I. sibirica*) et les iris du Japon (*I. ensata*). • Aérer le sol autour des plantes installées depuis un certain temps. • Ne pas biner trop profondément près des iris des jardins. • Fertiliser les iris des jardins avec un engrais organique pauvre en azote ou de la poudre d'os.
Juin	• Tuteurer les tiges faibles des grands iris. • Supprimer la tige florale après la floraison. • Surveiller pour les maladies. • Désherber et limiter les plantes avoisinantes agressives.
Juillet	• Arroser les plants en période de sécheresse, surtout ceux qui aiment un sol humide. • Supprimer la tige florale des iris qui ont fleuri. • Après la floraison, fertiliser les iris des jardins avec un engrais organique pauvre en azote ou de la poudre d'os. • Diviser et planter les iris des jardins à la fin du mois. • Désherber et limiter les plantes avoisinantes agressives.
Août	• Diviser et planter les iris des jardins au début du mois. • Fertiliser avec du compost (fin du mois) : iris des marais, iris versicolore, iris japonais et de Sibérie.
Automne	• Planter les iris bulbeux (*I. danfordiæ* et *I. reticulata*). • Éliminer les vieilles feuilles et les détruire. • Protéger les iris plantés ou divisés trop tard ou fragiles au froid.

Parfums

Les fleurs de certains iris dégagent de doux effluves. Dès le printemps, une senteur de miel émane des iris à bulbe (*I. danfordiæ* et *I. reticulata*). L'iris à fleurs pâles (*I. pallida*) produit une fleur mauve dont le parfum rappelle la vanille. En prime, la forme panachée de l'iris à fleurs pâles (*I. pallida* 'Variegata') présente un feuillage très décoratif. Certains cultivars d'iris à barbe sont aussi parfumés : 'Black Dragon', par exemple, dégage une odeur rappelant le jus de raisin. Enfin, saviez-vous que l'iris entre dans la composition de l'un des parfums les plus vendus au monde, le fameux Chanel n° 5 ?

Iris remontant – mythe ou réalité

Pour profiter des capacités de refleurir des iris des jardins, il faut choisir des remontants dits « de climats froids ». Certains de ces cultivars présentent un bon rendement dans quelques régions du Québec et ont une bonne chance de réussir une deuxième floraison, surtout si la saison de croissance est longue comme certaines années où l'automne est beau. À ce titre, les cultivars suivants sont de bons choix : 'Ebony Ember' (bleu violacé foncé), 'Immortality' (blanc) ou 'Summer Fantasy' (lilas marqué de jaune). Ces plantes seront de plus en plus offertes dans les jardineries. Attention, si le froid est trop précoce ou la saison trop courte, la remontée avorte ou ne se produit pas.

Jardin de campagne – choix de plantes

- Les plantes d'avant-plan : l'alchémille (*Alchemilla mollis*) aux panicules de fleurs jaune verdâtre, l'œillet mignardise (*Dianthus plumarius*) au parfum épicé qui se cultive en sol pauvre, le géranium sanguin (*Geranium sanguineum*) qui connaît une longue floraison, la lavande à feuilles étroites (*Lavandula angustifolia*) au feuillage grisâtre très décoratif et l'herbe aux chats 'Six Hills Giant' (*Nepeta faassenii* 'Six Hills Giant') qui remplace avantageusement les lavandes dans les régions au climat rigoureux.
- Les plantes intermédiaires : l'ancolie (*Aquilegia*) aux longs éperons, la valériane rouge (*Centranthus ruber*), une plante vivace qui peut aussi se placer en bordure, la monarde écarlate (*Monarda didyma*) dont le parfum du feuillage rappelle celui de la menthe et les vieilles variétés de pivoine (*Pæonia*) aux grosses fleurs éclatantes.
- Les plantes d'arrière-plan : le pied-d'alouette ou delphinium (*Delphinium*) aux longs épis floraux, l'hélianthe (*Helianthus*) qui arborent une floraison jaune en automne et les grands pigamons (*Thalictrum*)

dont les touffes de petites fleurs apparaissent sur une tige de 1,2 à 1,5 m (4 à 5 pi).

- Les plantes pouvant servir d'écran de fond : le seringat virginal 'Snow Queen' (*Philadelphus virginal 'Snow Queen'*) à la floraison blanche parfumée, le rosier à feuilles rouges (*Rosa rubrifolia*) et les cultivars parfumés du lilas commun (*Syringa vulgaris*).

Jardin d'herbes

Un jardin d'herbes traditionnel est clos. Une clôture en bois ou une haie autour du jardin permet de constituer des espaces pour créer des enclos et pour isoler du vent. Cette façon de faire conserve pleinement les parfums des plantes.

Il est possible de donner un caractère formel à son jardin sans constituer des broderies compliquées ou des jardins de nœuds très élaborés. Par exemple, la culture des herbes peut se faire dans un coin du jardin en les plaçant dans des carrés bordés de vieilles briques ou de planches.

Des éléments décoratifs comme un cadran solaire ou une statue classique peuvent servir de point de mire dans ce jardin, comme autrefois. Des allées rectilignes en cailloux, en vieilles briques ou en roches plates peuvent compléter le tout.

Jardin d'ombre

Aménagement

Avec la venue de nouveaux végétaux au feuillage coloré tolérant des situations ombragées, on peut maintenant donner beaucoup de luminosité aux coins d'ombre du terrain. Les feuilles panachées ou jaunes conviennent tout particulièrement à ces aménagements qui constituent de véritables havres de fraîcheur pendant les canicules. Des végétaux très « tendance » peuvent nous aider à créer de superbes effets paysagers sous les arbres, par exemple.

Conifères

Il est fort judicieux d'alterner des conifères et des plantes vivaces au feuillage coloré, parfois bigarré, dans un décor ombragé. Cependant, peu de choix s'offrent à nous, les conifères tolérant mal l'ombre en général. Il faut donc se rabattre sur les trois conifères suivants : l'if (*Taxus*), le cyprès de Sibérie (*Microbiata decussata*) et la pruche du Canada (*Tsuga canadensis*). Heureusement pour nous, de récentes obtentions à partir de la pruche du Canada ont donné des cultivars qui fournissent beaucoup de lumière à nos coins ombragés, tels que 'Albo Spica', 'Aurea Compacta' 'Gentsch White', 'Golden Splendor', 'Moon Frost', 'New Gold' et 'Summer Snow' aux pousses blanches ou crème.

Hosta

Le grand nombre de cultivars d'hosta et le fait que c'est une plante peu exigeante qui se plaît presque partout ont rendu ce roi de l'ombre très populaire.

- Il affectionne les coins ombragés où plusieurs plantes ne réussissent pas bien ;
- il demande peu d'entretien (un peu d'eau et de compost) ;

- il se multiplie facilement par division ;
- il résiste aux maladies et aux insectes, moins bien aux limaces ;
- il crée de beaux contrastes de couleurs, de formes, de textures et de dimensions.

Herbacées vivaces

Même si le nombre d'herbacées vivaces pour les aménagements situés en zone ombragée est plutôt limité, on peut compter sur quelques espèces et cultivars incontournables au feuillage coloré afin de les illuminer. Bien entendu, il faut les choisir en faisant contraster leurs formes et leurs textures. Les plantes suivantes donnent beaucoup de relief et d'éclat à l'ombre :
- la fougère femelle 'Victoriæ' (*Athyrium filix-femina* 'Victoriæ') ;
- le myosotis du Caucase au feuillage panaché (*Brunnera macrophylla* 'Variegata') ;
- l'herbe japonaise à feuillage jaune (*Hakonechloa macra* 'All Gold') ;
- l'heucherelle 'Stoplight' (*Heucherella* 'Stoplight').

Jardin miniature

La réalisation d'un minijardin composé de plantes en contenant est une idée originale pour décorer :
- un balcon ;
- une rocaille ;
- une terrasse ;
- un bassin ;
- un escalier ;
- tout autre endroit au choix.

Choix du contenant

Le contenant doit tenir compte du climat, de la culture des plantes et des concepts d'aménagement :
- résistant au gel (pas de terre cuite) ;
- muni de trous de drainage pour assurer l'évacuation de l'eau ;
- assez large pour y installer au moins quatre plantes.

Plusieurs genres de contenant peuvent convenir :
- une auge fabriquée de matière brute comme du ciment ;
- un botte en ciment ;
- une roche vidée ;
- un demi-pot.

Jardin naturel

Aujourd'hui, certains jardiniers donnent un aspect plus naturel à leur aménagement, l'imparfait ayant retrouvé ses lettres de noblesse. Les règles suivantes, même si elles sont puristes, devraient nous inspirer.
- Le jardinier ne cherche pas à imposer une mise en scène mais utilise la beauté de la nature ;
- il laisse la nature reprendre ses droits tout en exerçant un certain contrôle sur elle ;
- il apprécie les simples beautés qu'elle nous offre ;
- cela ne signifie pas que le jardin est laissé à lui-même ;
- certaines parties du terrain sont entretenues « différemment » ;
- l'aménagement est conçu pour préserver et augmenter la diversité des plantes indigènes ;

- l'emploi de produits chimiques (herbicides, insecticides ou engrais) est complètement prohibé ;
- la tonte est réservée aux endroits fréquentés ;
- l'approche globale est la protection de l'environnement.

Jardin parfumé

Voici quelques principes que l'on peut considérer dans l'aménagement de son jardin afin de faire plaisir à son odorat :
- on se laisse guider par son « nez » pour l'achat des plantes, sans négliger l'aspect décoratif ;
- les hybrides modernes sont en général beaucoup moins parfumés, voire inodores ;
- la plupart des plantes parfumées exigent d'être placées en plein soleil pour dégager le maximum d'effluves ;
- on a avantage à placer les plantes parfumées près d'une fenêtre pour laisser entrer les parfums à l'intérieur de la maison ;
- les souvenirs odorants se préparent l'été : lions nos plantes parfumées préférées en gerbes et suspendons-les pour les faire sécher. Elles serviront ensuite à faire des pots-pourris, des arrangements ou des sachets de senteur.

Jardinage

« Il est relativement facile de savoir si le jardinage prend trop de place dans votre vie quand votre tas de compost est mieux entretenu que votre voiture. »

Anonyme

Dans les contrées nordiques

« Ayant passé la plus grande partie de ma vie dans le nord de New York, je sais par expérience que plus un jardinier monte au nord, meilleures sont ses chances de réussite. »

Frank Cabot, propriétaire des
Jardins aux Quatre Vents à La Malbaie

Un éternel débutant

Le jardinage est un monde merveilleux à découvrir. Le premier conseil que j'aimerais donner à des jardiniers qui en sont à leurs débuts, c'est justement de demeurer d'éternels débutants. Quand on fait ses premiers pas en horticulture, on essaie tout : on est téméraire et le fait de ne pas réussir nos plantations ne nous tracasse pas outre mesure. On écoute d'une oreille les expériences des autres, ensuite on n'en fait qu'à sa tête.

Comme on n'y connaît pas grand-chose, on imite ce qu'on trouve beau chez son voisin, dans un jardin botanique, dans une revue ou dans un livre, en y ajoutant sa touche personnelle. On crée donc des compositions qui ne sont pas toujours réussies au départ, mais qui s'embellissent avec le temps et ses connaissances. C'est ce qui fait qu'aujourd'hui il y a tant de beaux jardins secrets et personnalisés au Québec, des œuvres de jardiniers qui sont demeurés d'éternels débutants à l'esprit aventureux... et téméraire. J'espère en être un encore longtemps.

Principes généraux

- Privilégier des plantes qui sont faciles à cultiver et à multiplier ;
- trouver parmi celles dont la floraison nous attire les cultivars qui ont un atout supplémentaire, comme un feuillage décoratif ou la diffusion de doux parfums ;
- permettre aux plantes de se ressemer spontanément dans le jardin, en laissant quelques spécimens mûrir et disperser leurs graines ;
- procéder à un désherbage intelligent pour ne pas se laisser envahir par certaines variétés ou pour éviter que le jardin ne paraisse négligé ;
- planter des arbustes à feuillage persistant pour qu'ils donnent de l'architecture au jardin au printemps et à l'automne ;
- utiliser des matériaux locaux simples, comme des roches de la région, de la vieille brique, du bois peint plutôt que du métal, des branches comme tuteurs, etc.

Qualité de vie

Au Canada, le jardinage est l'exercice le plus populaire après la marche. Voici quelques bienfaits liés au jardinage :

- travailler dans un jardin stimule les sens ;
- pratiquer régulièrement le jardinage réduit les risques de maladies cardiovasculaires, d'obésité, d'hypertension, de diabète et surtout… de dépression ;
- récolter des légumes frais, sains et remplis de vitamines est bon pour la santé.

Jardinier du dimanche

Il y a deux sortes de jardiniers : le jardinier « du dimanche » et le « vrai » jardinier. Alors que le premier peut se contenter d'un outil bon marché, l'autre doit investir un peu plus pour acquérir un outil robuste tout en n'étant pas trop lourd, adapté à ses besoins et à son physique. Le « vrai » jardinier ne doit pas lésiner sur la qualité. Au contraire, pour lui il vaut mieux acheter moins d'outils mais se munir d'équipement de qualité.

Lilas

Cet arbuste aux fleurs parfumées a agrémenté presque tous les jardins de nos grand-mères. Comme il drageonne beaucoup, il était facile de donner une tige à la parenté ou à des amis. Plusieurs se rappellent, avec une certaine nostalgie, les bouquets de lilas en vase qui parfumaient toute la maison au printemps, une tradition qu'on aurait avantage à reprendre. Un parfum beaucoup plus naturel que celui des vaporisateurs d'aujourd'hui à odeur de lilas.

Arbre

Bien que la plupart des lilas soient des arbustes, le lilas du Japon (*Syringa reticulata*) est un petit arbre très rustique pouvant atteindre de 8 à 10 m (25 à 30 pi) de hauteur. C'est le lilas qui fleurit le plus tardivement. De croissance lente, ce lilas découvert dans les montagnes du Japon prend avec l'âge une forme globulaire. Le cultivar 'Ivory Silk', rustique en zone 2, offre une floraison spectaculaire même lorsqu'il est jeune, et possède un parfum très fort que plusieurs personnes trouvent désagréable. Il fleurit de trois semaines à un mois après la floraison du lilas commun.

Les fleurs blanc jaunâtre sont assemblées sur une panicule pouvant atteindre 30 cm (12 po) de longueur.

Floraison médiocre ou absence de floraison
- Trop d'ombre : les lilas aiment le soleil ;
- sol trop acide : les lilas préfèrent un sol légèrement alcalin ;
- trop jeune : certains lilas demandent plusieurs années avant de fleurir ;
- trop d'azote : éviter l'engrais à gazon trop près de l'arbuste ;
- une compétition agressive : des arbres ou des arbustes plantés trop près ;
- mauvaise taille : tiges coupées trop long (bouquets de fleurs coupées) ou taille du lilas au printemps avant la floraison.

Floraison précoce
Les hybrides du lilas à fleurs de jacinthe (*Syringa hyacinthiflora*), aussi appelés hybrides américains ou hybrides précoces, sont des arbustes qui émettent peu de drageons et dont la floraison abondante est très parfumée. Résistant au froid et dotés d'une bonne vigueur, ils forment un arbuste pouvant atteindre 3 m (10 pi) de hauteur et 2,4 m (8 pi) de largeur, s'ils sont taillés convenablement. Le cultivar 'Maiden's Blush', un très beau représentant de ce groupe, produit des fleurs simples rose pâle qui apparaissent même si le plant est jeune, une particularité fort intéressante de ce groupe horticole. Le jardinier peut aussi opter pour 'Pocahontas' à la floraison pourpre ou pour 'Evan-

geline', un lilas mesurant de 2 à 3 m (7 à 10 pi) à la floraison double rose pâle.

Petits jardins

Certains lilas sont de bons atouts dans un petit jardin, soit parce qu'ils ont une croissance très lente, soit parce qu'ils ne forment pas un gros arbuste. À cet effet, le lilas de Corée nain 'Palibin' (*Syringa meyeri* 'Palibin') est un bon choix. L'arbuste a une forme compacte et arrondie qui atteint une hauteur maximale de 1,5 m (5 pi). Ce lilas qui ne drageonne pas est rustique en zone 2b et arbore de minuscules fleurs roses étoilées et parfumées. Les plants âgés de trois ans fleurissent déjà, et on dit qu'ils donnent encore plus de fleurs « lorsqu'ils sont vieux comme les collines ». Ce lilas peut aussi être greffé sur une tige comme certains lilas français, pour donner un petit arbre d'ornement pouvant être intégré à une plate-bande ou installé isolément sur une pelouse.

Preston

Pour avoir des lilas qui succèdent à la floraison des hybrides du lilas à fleurs de jacinthe et du lilas commun, il faut dire merci à madame Isabella Preston. Les cultivars issus de ses recherches sont connus comme les lilas de Preston (*Syringa prestoniæ*) et fleurissent près de deux semaines plus tard que les hybrides du lilas commun. Rustiques en zone 2, ces arbustes touffus pouvant atteindre 3 m (10 pi) de hauteur donnent parfois des panicules pendantes à la floraison.

Taille

Comme ils fleurissent sur le bois de l'année précédente, les lilas doivent être taillés après la floraison au printemps, et non à l'automne, car ce geste annulerait la floraison de l'année suivante. Il faut couper les tiges florales fanées, pour que les fleurs ne montent pas en graines, épuisant inutilement le plant. La taille se fait juste au-dessus des feuilles. En même temps que l'on effectue cette opération, il faut en profiter pour procéder à l'entretien de routine, comme enlever les branches cassées ou mal placées. C'est le temps aussi de supprimer les branches chétives émises à partir de la souche car elles sapent de l'énergie même si elles ne fleurissent pas. Si le lilas est en bonne santé, on peut enlever 20 % de sa charpente chaque année en prenant soin de couper les vieilles branches afin que des tiges plus jeunes et plus florifères pren-

nent leur place. Les drageons sont supprimés pour ne laisser que les tiges de remplacement nécessaires afin de régénérer la charpente de l'arbuste tous les quatre ou cinq ans.

Linné

Plusieurs en perdent leur latin lorsqu'ils consultent les noms dits scientifiques des plantes comme *Doronicum caucasicum*. Ils oublient que cette méthode d'identification est le résultat de nombreuses années d'évolution et réussit à cataloguer aujourd'hui un grand nombre de plantes. Aux temps des Grecs et des Romains, les plantes étaient nommées en général à l'aide d'une description plus ou moins précise. Après les premiers efforts du botaniste français Tournefort au XVIIe siècle, il a fallu attendre le système de classification du Suédois Carl von Linné vers 1750 afin de s'y retrouver dans la multitude des plantes. Linné, homme « très modeste », affirmait qu'il était « l'envoyé de Dieu pour mettre de l'ordre dans la création ».

Si l'on observe bien, plusieurs termes reviennent souvent et permettent de soupçonner les caractéristiques d'une plante sans l'avoir jamais vue. Certains termes informent sur la couleur : *variegata* (panaché), *aurea* (doré), *alba* (blanc), *rubra* (rouge), etc. D'autres indiquent la forme de la plante, comme *pendula* (pleureur) ou *columnaris* (columnaire). Parfois, on a des indications sur son habitat d'origine : *caucasicum* (du Caucase) ou *chinensis* (de Chine). Vous verrez à l'usage que, même si on ne possède pas une très bonne connaissance de cette langue ancienne, certains noms latins sont facilement compréhensibles, foi de Rockus Latinus.

Lis

Parfums

Certains lis dégagent un parfum doux et sucré, d'autres, un arôme riche et pénétrant. D'autres encore ne sentent rien du tout. Attention de ne pas mélanger leurs parfums, cela risquerait de produire des effluves désagréables !

• Parfum de jasmin : lis à longues fleurs (*Lilium longiflorum*), fleurs blanches légèrement dressées en forme d'entonnoir ;

lis 'Stargazer'

- effluves fruités : lis royal (*L. regale*), fleurs blanches au centre jaune légèrement rosé à l'extérieur, parfum très fort qui se dégage en soirée ;
- arôme sucré : lis de Henry (*L. henryi*), fleurs orange abricot tachetées de brun ; lis 'African Queen' (*L.* 'African Queen'), fleurs jaune orangé dont l'extérieur est de couleur cuivre ; lis 'Black Dragon' (*L.* 'Black Dragon'), fleurs blanches à revers marron foncé ; lis 'Pink Perfection' (*L.* 'Pink Perfection'), fleurs roses ; lis 'Casablanca' (*L.* 'Casablanca'), l'un des plus beaux hybrides à grandes fleurs blanches, dont on dit que le parfum est presque parfait ; lis 'Seduction' (*L.* 'Seduction'), fleurs roses ; lis 'Stargazer (*L.* 'Stargazer'), grandes fleurs rose foncé, recourbées vers l'extérieur et ourlées de blanc.

Pourriture

Si les feuilles à la base d'un lis se mettent à brunir en plein été et que le plant faiblit, il est probablement atteint de la fusariose du lis, une maladie fongique. La plante peut même disparaître pendant la saison à la suite de l'attaque de ce champignon (*Fusarium oxysporum* f. sp. *lilii*).

Dès qu'on achète des bulbes de lis, ce fléau nous guette, car plusieurs lis y sont vulnérables dès leur naissance. De bonnes pratiques de culture aideront cependant à prévenir ce désastre. Il est prudent d'opter pour des cultivars résistants à ce champignon, comme les lis asiatiques 'Connecticut King' et 'Orlito'. On recommande de saupoudrer les bulbes avec un fongicide avant la plantation. Il faut cultiver les lis dans un sol bien drainé, afin qu'en période pluvieuse prolongée et de temps chaud et humide, ces mauvaises conditions n'entraînent pas la pourriture du bulbe et de ses racines. Une culture en plein soleil est recommandée.

En présence de plants attaqués, il ne faut plus cultiver de lis à cet endroit. On devrait aussi, si possible, enlever et détruire les bulbes.

Macération

La macération est obtenue en laissant tremper la partie d'une plante réduite en morceaux dans un récipient contenant de l'eau froide ou un autre liquide, pendant quelques heures.

Magnolia

Culture

Les magnolias présentent une bonne croissance à la mi-ombre ou au soleil. L'arbre est assez rustique, mais la floraison en attente est vulnérable, pouvant être endommagée ou sacrifiée par un gel fort au printemps. Il faut donc placer les magnolias de façon à ce qu'ils soient protégés des vents dominants, comme derrière un mur ou près d'une haie de thuyas occidentaux.

Une plante préhistorique

Dans la classification botanique, le magnolia (genre voisin de celui des tulipiers) est considéré comme une plante primitive, donc au bas de l'échelle de l'évolution. Très présents à l'ère tertiaire dans l'hémisphère nord (Amérique du Nord et Asie), ces petits arbres ou arbustes à la floraison printanière ont disparu de plusieurs régions du monde lors des glaciations. Ce sont donc les jardiniers qui les réintroduisent : au Québec, nous sommes en train de répéter le même geste qui a permis de les rétablir en Europe au XVIIIe siècle.

Rusticité

Livrés sans défense au froid de l'hiver, les bourgeons floraux du magnolia sont protégés par une enveloppe composée de deux feuilles, souvent duveteuses. Cette protection est fragile aux grands froids printaniers, mais plusieurs espèces ou cultivars réussissent à braver la rigueur des hivers et des printemps québécois pour nous offrir une floraison printanière des plus exotiques.

Les espèces suivantes sont les moins frileuses et peuvent s'adapter, en condition abritée, aux zones de rusticité 4 : le magnolia étoilé (*Magnolia stellata*), le magnolia de Soulange (*M. soulangeana*) et le magnolia de Kobé (*M. kobus*).

Marcottage

Cette façon de propager les végétaux consiste à provoquer l'enracinement d'une tige sans détacher celle-ci de la plante mère. Cette dernière continue à nourrir le nouveau plant tant qu'il n'est pas capable de le faire lui-même. Certains végétaux couvre-sol comme l'herbe aux écus ou la bruyère commune se marcottent d'eux-mêmes dans le jardin.

- Au printemps, choisir une tige relativement longue à la base de la plante ;
- enlever les feuilles de la partie de la tige qui sera enfouie et garder les autres ;
- enterrer ce segment de la tige ;
- déposer une pierre sur la tige pour la garder enfouie ;
- maintenir le sol légèrement humide ;
- à l'automne ou l'année suivante, selon le degré d'enraci-nement, sectionner le nou-veau plant de la plante mère.

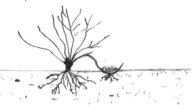

Marqueur indélébile

Il faut prendre des marqueurs indélébiles pour obtenir l'écriture la plus permanente possible sur les éti-quettes ou les plaquettes d'identification : les crayons Staedtler Lumocolor Permanent et Super Sharpie Permanent Marker sont mes préférés.

Microclimat (voir zone de rusticité)

Le climat exerce une influence considérable sur la création de nos jardins. Des plantes peuvent très bien se comporter du côté sud de la maison et souffrir des vents froids du côté nord de la même maison. On parle alors de climat et de microclimat.

Mildiou poudreux

Le mildiou poudreux est une maladie fongique qui attaque plusieurs plantes ornementales. Plus d'une trentaine de champignons sont responsables du mildiou poudreux, aussi appelé blanc. Les plantes les plus sujettes aux infections de champignons qui causent cette maladie sont l'ancolie, l'aster, le dahlia, le delphinium ou pied d'alouette, la monarde, le myosotis, le phlox paniculé et le rosier.

La maladie se reconnaît facilement. Les deux côtés des feuilles de la plante infectée se recouvrent d'une couche farineuse, qui est en fait l'agglomération de nombreuses spores du champignon portées au bout d'hyphes (filaments) rampant à la surface des feuilles. Le champignon peut même s'en prendre aux bourgeons et aux fleurs.

L'humidité stagnante au sol, des plantations très denses ou trop ombragées peuvent provoquer l'attaque de ces champignons, surtout si les conditions atmosphériques sont propices avec des températures fraîches et un haut degré d'humidité (90 % ou plus).

Le meilleur moyen de contrer le mildiou poudreux est d'adopter des méthodes culturales saines. Puisqu'une très grande humidité entraîne son apparition, il faut espacer les plants pour permettre une bonne aération. À l'arrosage, on doit déverser l'eau sur le sol (un boyau suintant est idéal) et non sur le feuillage. À l'automne et au printemps, il faut détruire toutes les parties de la plante qui sont infectées (oublier leur compostage). Il est possible de pulvériser du soufre comme moyen de répression.

Monarde

La monarde écarlate (*Monarda didyma* 'Cambridge Scarlet') est une plante vivace à floraison prolongée, apparentée à la menthe, qui produit des fleurs écarlates en couronnes au bout d'une tige florale. Les fleurs sont parfumées et, placées dans l'eau, elles peuvent durer environ une semaine. Les cultivars suivants sont aussi de bons choix : 'Blue Stocking' (fleurs pourpres), 'Croftway Pink' (fleurs roses) et 'Snow Queen' (fleurs blanches).

Monocarpique

La vie des plantes monocarpiques dure le temps d'une floraison. En effet, même si ces plantes peuvent vivre de deux à trois ans avant de fleurir, elles meurent peu après nous avoir offert leur spectacle floral. Exemple : plusieurs méconopsides (*Meconopsis*) et les plantes annuelles.

Muguet

Le muguet (*Convallaria majalis*) parfumait déjà les premiers jardins des colonies d'Amérique du Nord. Facile de culture, il était laissé à lui-même pour former des tapis de fleurs et de feuillage. À cette époque, les plantes envahissantes étaient largement cultivées parce qu'elles demandaient peu de soins, tout en pouvant se tailler une place au travers des herbes.

Mycorhize

Nous sommes de plus en plus certains que les plantes (environ 95 %) ont besoin de s'associer à des champignons afin de survivre et de croître. Ces derniers sont capables d'aller chercher des éléments nutritifs que les racines des plantes ne pourraient assimiler sans leur aide (en sol pauvre, par exemple). Les recherches actuelles montrent que les plantes « mycorhizées » acquièrent une meilleure résistance à des facteurs de stress comme le lessivage des éléments nutritifs par les pluies, une sécheresse prolongée, l'attaque de maladies, etc.

Nom botanique

Nom unique et précis donné à une plante selon la nomenclature binaire. La méthode utilisée est la suivante : *Genre espèce*. Il s'écrit en italique. Lorsqu'il y a un nom de cultivar, le nom scientifique prend cette forme : *Genre espèce* 'Cultivar'. Exemple : le phlox paniculé 'Nicky' (*Phlox paniculata* 'Nicky').

Nom botanique

Auteur d'une plante

Nom du botaniste qui a nommé une plante pour la première fois, ainsi que les auteurs de changements subséquents dans cette nomenclature, s'il y a lieu. L'inscription de l'auteur ou des auteurs est le plus souvent en abrégé après le genre et l'espèce. Exemple : *Syringa vulgaris* L. Dans ce cas, on peut voir que Linné a décrit le lilas commun (*Syringa vulgaris*) pour la première fois et que sa description n'a pas été contestée depuis, car il est demeuré l'unique auteur de la plante.

Cultivar

Issu de l'anglais *cultivated variety*, signifiant « variété cultivée », ce terme est considéré aujourd'hui comme l'expression correcte et à privilégier pour définir une plante qui est le résultat d'une mutation spontanée, ou qui a été obtenue par hybridation. Le nom du cultivar est entre apostrophes. Exemple : la pruche canadienne 'Gentsch White' (*Tsuga canadensis* 'Gentsch White'). Le nom du cultivar de cette plante est donc 'Gentsch White'.

Espèce

Une espèce est une plante qui pousse spontanément dans la nature, donc qui n'est pas obtenue par un hybrideur ou un sélectionneur. Par extension, c'est un groupe de plantes qui présentent des caractéristiques communes. L'espèce est identifiée dans le nom scientifique d'une plante par le deuxième mot. Par exemple, dans le nom scientifique identifiant l'iris du Japon (*Iris ensata*), *ensata* est l'espèce.

Obélisque

Les obélisques sont des structures de métal, de résine de synthèse ou de bois sur lesquelles le jardinier fait grimper des rosiers, des clématites, des pois de senteur, etc. Ces structures en forme de pyramide sont terminées par un pyramidion qui peut être simple ou très raffiné. Ces formes architecturales se détachent du décor végétal et attirent le regard.

Œillet de poète

Une des plantes qui me rappellent le plus mon enfance est sans doute l'œillet de poète, que plusieurs personnes appelaient « Louise ». Cette plante bisannuelle a la particularité de se ressemer facilement à son pied, se renouvelant d'année en année. L'œillet de poète était apprécié en fleurs coupées. Son parfum était très réputé. Il mériterait une plus grande place dans nos jardins, car il ferait « la barbe » à plusieurs nouveautés.

Officinalis

Le nom d'une plante suivi de ce qualificatif signifie qu'elle est inscrite dans la pharmacopée officielle, recueil de recettes ou formules pour préparer des médicaments.

Ornement – achat

- Il faut éviter l'achat d'un ornement à la suite d'un coup de foudre, car une fois revenu chez soi, on peut le trouver difficile à intégrer dans son jardin ;
- un petit nombre d'ornements rend un jardin reposant et intime ;
- un grand nombre d'ornements peut le faire paraître chaotique ;
- nous sommes les mieux placés pour juger de l'allure de notre jardin : si cela nous plaît, pourquoi pas !

Ossature du jardin

Un jardin sans ossature peut être comparé à une pizza : beaucoup d'éléments hétéroclites tant par la forme que par la couleur ne donnant pas nécessairement une œuvre globale qui invite à la contemplation. Ainsi, on peut être attiré dans un jardin par des plantes parfumées, colorées, très florifères, alors que la vue d'ensemble laisse indifférent. Pourquoi ? Parce qu'un jardin doit être ordonné tout en respectant le style de l'habitation qu'il prolonge. Pour moi, les plus beaux jardins sont ceux qui émanent de la rêverie et de la spontanéité, mais qui présentent un design équilibré.

Les éléments suivants contribuent fortement à définir l'ossature du jardin :
- les limites (clôtures ou haies) ;
- les allées ;
- les sentiers ;
- les arbres ;
- les arbustes.

Outil

« Les menuisiers n'aiment pas les rabots neufs ; les peintres en bâtiments n'aiment pas les pinceaux neufs. Il en va des outils comme des vêtements ; il faut faire connaissance avec eux et les utiliser pour qu'ils deviennent familiers. »

Gertrude Jekyll, grande horticultrice anglaise

Achat

Ne jamais oublier : il est préférable d'acheter moins mais mieux.
- L'acier ou l'alliage : les outils en acier trempé ou fabriqués à partir d'un alliage de qualité sont robustes et s'affûtent facilement ;
- le manche : il doit être souple et robuste ; le frêne est considéré comme un bon matériau ;
- la liaison fer-manche : l'emmanchement constitué d'une douille rivetée au manche est très résistant ;

l'emmanchement, étant souvent la partie faible d'un outil, mérite d'être bien vérifié – en effet, le manche casse habituellement au ras de la pièce métallique ;
- la disponibilité de pièces de rechange : les pièces sont remplaçables sur un outil de qualité seulement (par exemple, de marque Felco) ;
- le rapport qualité-prix : il faut toujours vérifier si le prix est raisonnable par rapport à la qualité, il faut donc magasiner.

Besoin

Lorsqu'on aménage un jardin, il est rare qu'on rencontre une terre meuble, riche et aérée. On se heurte le plus souvent à un sol dur et compact. Il faut alors le labourer avec des outils manuels ou mécanisés, puis l'entretenir afin qu'il reste meuble. Par la suite, on doit prendre soin de ses plantations. Pour effectuer les travaux horticoles de façon efficace et sans trop de labeur, il faut utiliser des outils bien adaptés aux travaux. L'acquisition d'un outil mérite donc qu'on s'y attarde.

Il faut choisir nos outils en fonction de certains critères comme l'emploi visé, la taille de nos mains, notre taille, notre force physique, le type de sol de notre jardin, la robustesse exigée, etc.

La première variable à bien évaluer est donc le genre de travail à effectuer. Si on veut travailler la terre sur une profondeur de 20 à 30 cm (8 à 12 po), il faut choisir une bêche à dents. Pour ameublir la terre en surface, la binette ou la griffe à trois dents conviennent parfaitement. Si on a un mal de dos chronique, il vaut mieux utiliser des outils à longs manches. Ces exemples montrent l'importance de bien choisir ses outils en fonction de ses besoins.

Lubrification

Plusieurs outils comme les ciseaux à haie et les sécateurs demandent une bonne lubrification pour le bon fonctionnement des parties qui travaillent tels les pivots, ou tout simplement pour empêcher la rouille. Les bêches et les pelles qui sont huilées et non rouillées pénètrent beaucoup mieux dans le sol. De plus, comme la terre adhère moins aux outils lubrifiés, cette technique nous épargne l'effort inutile de travailler, par temps humide, avec des outils de plus en plus terreux et lourds.

Lubrifiant

Quel est le meilleur lubrifiant pour nos outils ? Certains emploient directement de l'huile à moteur. Même si cette substance est efficace, on n'aime pas respirer l'odeur de l'huile. D'autres horticulteurs emploient de la gelée de pétrole blanche (vaseline) ou de l'huile végétale. Un autre truc est d'enduire de suif les surfaces qui exigent une lubrification. Les graisses animales étaient fortement employées par nos ancêtres, et le processus s'avérait très efficace… Il faut faire fonctionner l'outil pour étendre le lubrifiant.

Manche

Les manches des outils peuvent bénéficier d'un enduit de polissage et de conditionnement du bois (par exemple, de l'huile d'artisan ou un produit du genre Orange Glow). L'huile de lin, très employée autrefois, tend à ne plus être utilisée car il faut la diluer avec de la térébenthine et parfois l'enduit demeure collant un bon bout de temps. L'huile de lin doublement bouillie présente le même problème.

Nettoyage

Le nettoyage des outils au cours de la saison horticole permet d'éviter la rouille mais vise aussi à empêcher la transmission de maladies. Ainsi, il faut stériliser nos outils fréquemment et surtout après avoir effectué la taille d'une plante infectée. On essuie le fer de nos outils avec de l'eau de Javel ou de l'alcool à friction.

Rangement

Après usage, il faut ranger les outils dans la remise, afin d'éviter qu'ils ne se détériorent à cause des intempéries.

La meilleure façon de les ranger est de les suspendre, pour trouver facilement l'outil dont on a besoin. La plupart des outils dotés d'une poignée en D peuvent être accrochés directement sur les murs. Les autres peuvent être déposés dans les coins de la remise ou suspendus à l'envers sur des crochets.

Quant aux petits outils, on les range dans un bidon ou une chaudière. Ainsi, lorsqu'on travaille dans les plates-bandes, on peut les transporter tous ensemble et choisir celui dont on a besoin.

Paillis

Le paillage du sol est bénéfique pour certaines plantes qui exigent d'avoir les racines « à la fraîche » durant les chaudes journées d'été (exemple : les clématites, les ligulaires, les astilbes, etc.) et pour celles qui ont un système de racines fragiles et superficielles (exemple : les rhododendrons). Il faut cependant attendre que la terre soit réchauffée pour l'étendre, car si on dépose trop tôt le paillis au pied de la plante, il ralentira le réchauffement du sol, ce qui provoquera un retard dans la pousse de l'année.

Matières inorganiques

Le paillis inorganique n'apporte pas de nutriments au sol :

- fibre plastique perméable à l'eau et à l'air ;
- lit de galets ou de sable.

Matières organiques

Le paillis organique enrichit le sol et lui apporte des éléments nutritifs :

- fumier bien décomposé ;
- compost ;
- tontes de gazon (paillis de courte durée très fertile) ;
- paille ;
- écorce de pin (compenser par de l'azote) ;
- jardicao (cacao) ;
- feuilles mortes (jardins champêtres).

Papillon

Une beauté au jardin

À la fin du XIXe siècle, les Victoriens, désabusés de l'industrialisation, commencèrent à s'intéresser au côté plus naturaliste du jardin. Délaissant quelque peu le cadre formel du jardin alors à la mode, ils se mirent à introduire des plantes indigènes et à collectionner des roches, des coquillages, des colibris et des papillons.

Nous connaissons actuellement la même tentation de renouer avec la nature en invitant la faune dans notre jardin et en lui donnant abri et nourriture. C'est le jardinage pour les oiseaux qui a été le mouvement précurseur de cette tendance.

Bien que les papillons nous aient tous fascinés étant enfants, c'est seulement depuis quelques années que les jardiniers s'intéressent à leur beauté. En effet, les dégâts causés par le stade larvaire de ces insectes nous font souvent oublier la grâce des adultes.

Création d'un habitat favorable

Le facteur déterminant qui peut influencer ces hôtes si élégants à venir dans le jardin est la présence d'un habitat favorable.

D'abord, les papillons aiment le soleil. Celui-ci réchauffe les muscles de leurs ailes et leur permet de voler allègrement. Un site très ensoleillé sera donc très prisé par ces joyaux ailés. Des pierres disposées çà et là dans le jardin permettront aux papillons de s'y reposer tout en se faisant chauffer au soleil.

L'eau est un autre élément indispensable à leur survie. C'est en s'abreuvant qu'ils obtiennent les minéraux dont ils ont besoin. Il faut cependant faire attention, car les papillons se noient dans une eau très peu profonde. On peut leur offrir un abreuvoir sécuritaire en remplissant de sable un bain d'oiseaux et en le gardant constamment humide.

Cycle vital

Avant de les admirer dans notre terrain, nous les avons souvent détestés parce que leurs larves avaient détruit certains feuillages. On a beau préférer le stade adulte de cet insecte, l'un ne va pas sans l'autre.

Le cycle vital du papillon se déroule en quatre étapes :

- les œufs : certains papillons ne pondent que sur des plantes bien précises, il faut donc rendre disponibles ces végétaux afin qu'ils se reproduisent sur notre terrain ;
- la larve : la larve, qu'on appelle en langage courant « chenille », se nourrit de feuillage ; plusieurs chenilles se nourrissent d'une plante spécifique, la plupart du temps indigène, que l'on appelle plante hôte ;
- la chrysalide : la chenille forme un cocon dans lequel elle se métamorphosera en papillon ;
- le papillon : c'est ce stade qu'on préfère voir dans nos jardins ; le papillon adulte se nourrit sur les plantes nectarifères, c'est-à-dire qui contiennent du nectar (voir plante nectarifère).

Pavot

Capsules

Les capsules de graines de certains pavots, teintes ou non, font de jolis ornements dans les compositions de fleurs séchées. À cet égard, les plantes suivantes offrent de très beaux fruits ou capsules après la floraison :

- le pavot somnifère 'Hens & Chicken's' (*Papaver somniferum* 'Hens & Chicken's') : le pavot « Poules et Poussins » produit après la floraison (grandes fleurs rose saumon) de très grosses capsules entourées de petites excroissances décoratives ;
- le pavot changeant 'Danegrob Laced' (*Papaver commutatum* 'Danegrob Laced') : ce pavot aux jolis

pétales rouges frangés et maculés de blanc à la base donne des capsules de bonne dimension fort prisées dans les arrangements floraux.

Fleurs coupées

Les fleurs de pavot sont très éphémères en fleurs coupées. Cependant, les fleurs des pavots somnifères (*Papaver somniferum*), des pavots d'Islande (*Papaver nudicaule*) et des pavots orientaux (*Papaver orientalis*) peuvent constituer un joli bouquet d'une durée d'environ deux jours. Il s'agit de les cueillir dès qu'elles commencent à apparaître. On trempe les tiges dans l'eau bouillante ou on passe la flamme d'un briquet à leur base. Après, il faut les placer le plus tôt possible dans l'eau.

Pavot bleu

Semis

Comme elles perdent 75 % de leur viabilité après seulement neuf mois, il faut effectuer les semis le plus tôt possible après avoir reçu les graines de pavot bleu.

Puisque les graines doivent être stratifiées (avoir subi une période de froid au-dessous de 4 °C (40 °F), on les place au réfrigérateur pour trois semaines. Attention, elles ne doivent pas geler.

Au moment de faire les semis, on couvre les graines d'une fine couche de tourbe et de sable (moitié-moitié) après les avoir pressées légèrement sur la surface du sol. Pour germer, les graines ont besoin d'humidité, mais il faut éviter que le sol ne soit détrempé. Certains les couvrent avec du gravier à aquarium ou de la perlite. Faites des essais.

La température doit être fraîche (environ 10 °C [50 °F]). Les anciennes maisons, qui ne sont pas surchauffées, présentent des conditions idéales. On place les semis devant une fenêtre donnant au sud mais en évitant le soleil direct ; le fait que la pièce ne soit pas chauffée la nuit augmente les chances de réussite, recréant les conditions montagnardes de chaleur le jour et de froid la nuit. Sous des fluorescents la température est souvent trop chaude.

Comme il ne faut pas mettre tous nos œufs, ou plutôt toutes nos graines dans le même panier, il est prudent d'effectuer les semis dans trois ou quatre contenants différents qu'on pourra placer à divers endroits.

La réussite de quatre à cinq plants récompense amplement les jardiniers patients et débrouillards.

Pelle

La pelle à bout arrondi et à long manche est probablement l'outil le plus utilisé en Amérique. Le bout arrondi permet de pénétrer facilement dans le sol pour creuser un trou de plantation, pour déterrer une plante ou tout simplement pour retourner la terre. Le long manche permet d'éviter les maux de dos. On peut même s'en servir comme levier.

Pélargonium

Les pélargoniums (*Pelargonium*), plantes originaires de l'Afrique du Sud mieux connues sous le nom populaire de géraniums, sont très cultivés aujourd'hui pour leurs fleurs, la beauté de leur feuillage et leur facilité de culture. Plusieurs personnes font hiverner leurs plants préférés à l'intérieur pour conserver une belle variété, pour le plaisir ou tout simplement pour économiser des sous.

Automne

On peut rentrer le plant à l'intérieur. On doit le rempoter dans du terreau neuf, car celui qui a servi à sa culture estivale ne contient plus ses éléments nutritifs et peut même être contaminé. On rabat les tiges à environ 20 cm (8 po) du sol. En février, on peut même repartir des boutures afin d'augmenter notre provision de pélargoniums.

Vers la mi-août, il faut arrêter de fertiliser les pélargoniums que l'on veut faire hiverner. À la rentrée, on les nettoie en enlevant les parties sèches ou jaunies. Leur taille peut aussi être réduite afin de ne pas encombrer inutilement les lieux d'hivernage. Même si les pélargoniums entrent dans une période de ralentissement végétal durant l'hiver, ils ont encore besoin de beaucoup de lumière. On les conserve donc sous des néons ou devant une fenêtre, préférablement du côté sud. À ce moment-là, ils aiment une température fraîche entre 5 et 10 °C (40 et 50 °F). Jusqu'au mois de février, seul un toilettage des feuilles et des fleurs fanées est nécessaire. En février, la végétation redémarre et il est temps de tailler les pélargoniums et d'en faire des boutures pour obtenir de nouveaux plants.

Si le lieu d'entreposage ne présente que peu de lumière, il faut arrêter l'arrosage, ne donner qu'un peu d'eau pour ne pas qu'ils se dessèchent complètement. Il ne faut pas les fertiliser, car cela brûlerait les racines.

Bouturage d'automne

Le début de septembre est le temps idéal pour effectuer le bouturage de nos pélargoniums préférés, car cette opération doit se faire avant les gelées. Il suffit de prélever environ 15 cm (6 po) au bout d'une tige en santé. On enlève ensuite les feuilles du bas et on plante la tige dans un pot contenant un terreau de plantation bien aéré. En maintenant l'humidité du substrat deux ou trois semaines, on facilite l'enracinement de la bouture. Bien entendu, il faut placer le rejeton à la lumière, sur le bord d'une fenêtre côté sud ou sous un néon.

Petit jardin

Aménagement

- Il faut éviter les allées trop larges dans un petit jardin, elles prennent trop de place : une largeur de 90 cm (3 pi) peut convenir ;
- pour contrer l'élargissement d'un arbre de forme columnaire lorsqu'il vieillit, on doit tailler les branches extérieures au-dessus du bourgeon tourné vers le tronc, donc à l'inverse de ce qu'on fait d'habitude.

Arbres

Même si les arbres paraissent bien petits lorsqu'on les plante, plusieurs sont à grand déploiement et deviennent trop encombrants pour des jardins de dimension modeste. De plus, un arbre de grande taille « écrase » la maison sur un terrain de dimension réduite.

Heureusement, il existe aujourd'hui des formes dressées (columnaires ou pyramidales) qui, tout en apportant de la verticalité au jardin, n'encombreront pas (après un certain temps) les allées ou la terrasse. Ces arbres peuvent être plantés par paires pour encadrer une vue intéressante ou pour servir de passage.

Certains arbres à développement très lent conviennent aussi à un petit jardin. Il est à considérer que même si ces végétaux n'ont pas l'ampleur majestueuse de l'érable à sucre (*Acer saccharum*) ou du chêne rouge (*Quercus rubra*), ils remplissent parfaitement la mission qui leur est dévolue : procurer de l'ombre, assurer de l'intimité, etc.

Arbustes

Dans les jardins de petite taille, les arbustes comme les arbres servent à « charpenter » le terrain et les plates-bandes. Comme le jardinier citadin ne peut se permettre de gaspiller l'espace, il doit choisir des ports et des formes qui conviennent à son jardin. Il peut planter de grands arbustes à condition de les tailler régulièrement. Le fait de tailler certains arbustes les rend plus trapus et souvent plus colorés. Pour certains, il suffira de les rabattre une fois au printemps ou à l'automne, alors que d'autres exigeront d'être taillés deux fois par année, ce qui élimine souvent la floraison. La production de fleurs n'est pas nécessairement l'effet recherché par le jardinier, certains arbustes ayant pour mission de servir de fond agréable aux autres plantes.

Phlox paniculé (*Phlox paniculata*)

Choix de cultivars par couleur

- Blanc : 'Darwin's Joyce', 'David', 'Miss Lingard', 'White Admiral' ;
- bleu (violet) : 'Amethyst', 'Blue Boy', 'Nicky', 'The King' ;
- rose : 'Bright Eyes', 'Flamingo', 'Miss Pepper', 'Nora Leigh' ;
- rouge : 'Laura', 'Orange Perfection', 'Starfire', 'Tenor'.

Photosynthèse

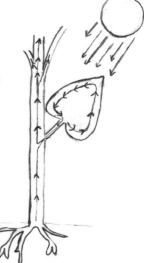

La photosynthèse est le processus vital qui assure aux plantes les éléments nutritifs dont elles ont besoin pour leur croissance. Ce processus exige de la lumière afin que la chlorophylle des plantes puisse jouer son rôle.

On pourrait croire que plus la plante jouit du soleil au cours de la journée, mieux elle se développe. Ce n'est pas tout à fait exact. L'ombre est favorable à certaines plantes et, pour d'autres, une longue période ensoleillée est nécessaire. Lorsqu'on achète une plante, il est important de vérifier l'exposition dont elle a besoin pour croître. Une mauvaise exposition peut entraîner une floraison médiocre, la brûlure des feuilles, une couleur fade, etc.

Pigeonnier

Les pigeonniers que bâtissaient les Romains pour élever les pigeons comme oiseaux de compagnie devinrent plus tard des éléments décoratifs dans les jardins français et anglais. C'est à l'époque victorienne que les petits bâtiments servant de pigeonniers furent les plus ouvragés. On a construit des modèles réduits imitant des chaumières, des villas ou des châteaux. Bientôt, ces maisonnettes furent placées au sommet d'un poteau de bois. La fabrication d'une maisonnette d'oiseaux ou d'une mangeoire peut encore devenir le prétexte pour décorer un coin du jardin.

Pimbina

Le nom populaire de la viorne trilobée (*Viburnum trilobum*) est pimbina, un terme d'origine amérindienne qui désigne les fruits de cette plante. Cette espèce indigène au Canada atteint de 2 à 4 m (6,5 à 13 pi) de hauteur. Elle nécessite un sol fertile et frais. Elle fleurit au début de l'été et arbore des fruits rouges à l'automne. La viorne trilobée est rustique en zone 2.

Piscine hors terre

Aménagement

Près de 90 % des piscines résidentielles installées au Québec sont hors terre.

Une piscine hors terre brise l'équilibre d'une cour. Il faut donc en habiller les abords pour rééquilibrer l'aspect esthétique des lieux. Selon la position de la piscine sur le terrain, il n'est pas nécessaire d'aménager tout le pourtour. L'intégration harmonieuse de la piscine demande cependant certains ajustements pour marier les activités aquatiques et l'aspect esthétique de l'aménagement. Jardin et piscine vont pourtant de pair.

Voici quelques points importants à considérer quand on aménage une piscine hors terre :

- lorsque la piscine n'est pas attenante au patio de la maison, on peut créer un aménagement très esthétique de l'entrée de la cour et de la terrasse ;
- la piscine est moins facile d'accès mais beaucoup plus facile à aménager ;
- il faut penser à la camoufler et à l'embellir en l'intégrant au paysage ;
- des massifs de végétaux attirent l'œil de l'observateur sur les autres parties du site… et non sur la masse de la piscine ;
- on diminue alors l'impact visuel de la piscine et on crée même un point d'intérêt majeur dans la cour ;
- il n'est pas recommandé de l'entourer d'une haie qui suit fidèlement le contour : cela ne fait qu'accentuer la forme rigide de la piscine ;

- il faut plutôt envisager des formes naturelles qui créent une atmosphère moins rigide ;
- on utilise des plantes plus ou moins hautes, pour atténuer la hauteur des parois.

Bordure

L'aménagement d'une piscine doit être décoratif mais aussi fonctionnel :
- laisser une bordure de 30 à 40 cm (12 à 16 po) autour de la piscine afin de faciliter son nettoyage ;
- poser un paillis organique ou inorganique sur cette bordure pour empêcher l'eau qui déborde de tomber sur de la terre et de salir la paroi ;
- en plus d'être bénéfique pour les plantes, le paillis protège leurs racines contre les effets du chlore.

Choix des végétaux

Les végétaux doivent être judicieusement choisis pour ne pas compliquer l'entretien de la piscine, tout en contribuant à intégrer celle-ci au paysage :
- ne pas intégrer des plantes aux formes trop définies, comme un thuya occidental bien conique, afin de ne pas accentuer la rigidité de la piscine ;
- privilégier des végétaux compacts ;
- camoufler la paroi sans la dépasser ;
- choisir des végétaux propres et sains pour la piscine (éviter les plantes susceptibles de souffrir de maladies ou d'être infestées d'insectes) ;
- prévoir une floraison amorcée par de petits bulbes printaniers allant jusqu'aux épis floraux des roseaux de Chine (*Miscanthus chinensis*).

Vivaces recommandées : l'hémérocalle, les graminées comme les petits miscanthus et l'avoine bleue, la salicaire, l'herbe au chat, la scabieuse, les orpins d'automne, la véronique prostrée, la bugle rampante, le phlox rampant, l'armérie maritime ou gazon d'Espagne.

Conifères recommandés : des conifères à petit développement et de forme étalée comme le pin des montagnes 'Blue Shag', le sapin baumier nain, la pruche pleureuse.

Arbustes recommandés : le fusain de Fortune, le physocarpe doré 'Dart's Gold', les spirées, les genêts, les millepertuis, les petits rhododendrons comme 'Ramapo' ou 'Purple Gem'.

Emplacement

Avant de déterminer l'emplacement d'une piscine, on devrait considérer les éléments suivants :

- en installant la piscine dans un coin du terrain, on peut placer des écrans près des lignes extérieures, afin de ne pas être à la vue du voisinage ; ainsi on n'a qu'à habiller le tiers de la piscine ;
- de cette façon, les espaces résiduels sont petits et la cour n'est pas sacrifiée au profit de la piscine (contrairement à une piscine en plein milieu du terrain) ;
- les accessoires peuvent être disposés dans les aires résiduelles non visibles de la terrasse ;
- idéalement, la piscine et les structures attenantes devraient occuper tout au plus le tiers du terrain.

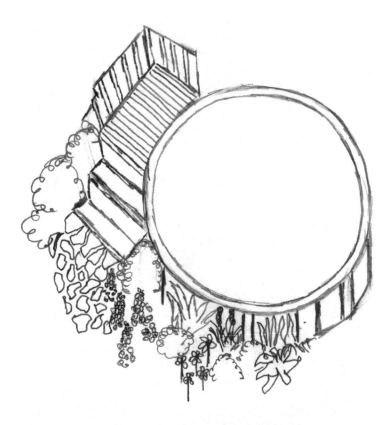

Intimité

On aime bien exercer les activités aquatiques à l'abri des regards indiscrets. Pour créer de l'intimité, on peut :

- créer des écrans visuels près des voisins et de la rue pour profiter pleinement des joies de la piscine ;
- se servir des écrans visuels comme toile de fond pour l'environnement de la piscine ;
- planter des arbres à petit développement.

Note : On ne doit pas bloquer le soleil, qui réchauffe l'eau de la piscine.

Une présence permanente

Il faut aussi considérer la présence permanente de la piscine, tant l'hiver que l'été :

- les activités de baignade ne se déroulent que pendant le tiers de l'année ;
- la vue de la piscine (ou du jardin) nous accompagne douze mois par année ;
- des parois en bois traité ou en imitation de bois sont un heureux compromis entre une piscine hors terre et une piscine creusée ;
- un fond neutre ne vole pas la vedette aux plantes ornementales.

Pissenlit

Le pissenlit officinal (*Taraxacum officinale*), introduit d'Europe, est une plante vivace familière. Le pissenlit est très répandu, poussant presque partout, même dans les lieux habités. Doté de longues feuilles vertes très découpées évoquant la forme des dents de lion, il est aussi communément appelé dent-de-lion (*dandelion* en anglais). Ses feuilles sont disposées en rosette à la base de la plante. Il produit au printemps, et parfois à l'automne, des fleurs jaunes de 3 à 5 cm (1 à 2 po) de diamètre qui sont composées en fait de plusieurs petites fleurs. La fleur obéit au phénomène de photonastie, c'est-à-dire qu'elle exécute des mouvements subordonnés aux variations de quantité de lumière. Autrement dit, la fleur s'ouvre au soleil et se referme le soir. Préférant les endroits ensoleillés, le pissenlit aime les terres meubles de bonne qualité mais sait se satisfaire de conditions parfois très difficiles.

Un ami

Le pissenlit est un légume feuille fort utile. Son feuillage, qui contient des vitamines B2 et C, peut se manger en salade lorsqu'il est jeune : il serait consommé ainsi depuis le néolithique. Une infusion de feuilles de pissenlit, sans les tiges, produit une tisane qui a des effets diurétiques et laxatifs. Nos ancêtres, qui fabriquaient un excellent vin avec les fleurs de pissenlit, se soignaient sans probablement le savoir. Lorsque la tige est incisée, le latex qui s'en dégage peut faire disparaître les verrues. Enfin, la racine torréfiée a déjà été utilisée comme substitut au café en Europe.

Pelouse

Pour contrôler l'envahissement d'une pelouse par les pissenlits, il faut les tailler avant que les fleurs ne se transforment en graines. Il faut donc tondre la pelouse avant d'apercevoir de petites aigrettes de soie qui surplombent les tiges et qui n'attendent que d'être cueillies par le vent pour aller se multiplier. Il est sage alors d'utiliser le sac de ramassage prévu sur la tondeuse. On peut en plus extirper les plants avec un arrache-pissenlits, de préférence après une pluie. Les plantes à racines pivotantes comme le pissenlit sont très difficiles à enlever car leurs racines sont très profondes. Pour ma part, j'aime bien me servir d'un gros tournevis plat pour essayer d'ameublir la terre autour des racines avant de tenter d'extirper le pissenlit avec le maximum de racines.

La racine pivotante du pissenlit est si profonde et difficile à arracher qu'on dit d'une personne morte et enterrée qu'elle « mange les pissenlits par la racine ».

Pivoine

Les fleurs charnues et voluptueuses de la pivoine fleurissaient les jardins d'antan chaque printemps, accompagnant les lilas et précédant les grosses fleurs rouges et parfumées du rosier rugueux 'Hansa'. On savait très bien, à l'époque, diviser les souches des pivoines pour en donner aux membres de la famille ou à une très bonne amie. On considérait la pivoine comme une plante très noble qu'on ne donne pas à n'importe qui. La pivoine était d'ailleurs une excellente monnaie d'échange pour acquérir une plante qu'on ne possédait pas et qu'on voyait pousser chez le voisin.

Les pivoines sont des plantes à cultiver absolument dans nos jardins, pour la beauté de leurs fleurs, leur parfum et leur tenue en fleurs coupées. Il y a une vingtaine d'années, les seules pivoines disponibles étaient les rouges, les roses ou les blanches. Cet univers un peu restreint s'est fortement élargi ces dernières années.

Les principaux types de pivoines sont :
• la pivoine arbustive ;

- la pivoine herbacée ;
- la pivoine Itoh ou intersectionnelle.

Conditions de culture
- Un sol bien drainé ;
- une terre bien aérée ;
- beaucoup de soleil ;
- un apport de compost autour du plant à chaque automne.

Pivoine arbustive

La pivoine arbustive développe une charpente végétale ressemblant à un arbuste. Son système aérien ne meurt pas au sol chaque automne et croît d'année en année. Sa fleur, une merveille de la nature, charnue ou simple, passe du jaune clair à l'abricot, du blanc au rose, du rouge au pourpre. Malheureusement, sa rusticité est moindre que celle des pivoines herbacées, qui résistent très bien aux rigueurs de nos hivers.

Pivoine herbacée

C'est le plus connu et le plus répandu des types de pivoines. Ses tiges et son feuillage meurent au sol aux premières gelées de l'automne. Très rustique, la pivoine herbacée ressurgit au printemps, présentant souvent de jolies pousses rouges. Elle donne naissance à des fleurs le plus souvent opulentes, allant du blanc au pourpre, en passant par le rose. On peut opter pour des formes botaniques, des hybrides et des pivoines lactiflores à fleurs doubles, à fleurs simples ou à forme dite japonaise.

Pivoine Itoh

Le renommé hybrideur A. P. Saunders (1869-1953) avait qualifié de rêve impossible le croisement entre une pivoine herbacée et une pivoine arbustive. Le Japonais Tochi Itoh a été le premier à réussir cet exploit. Vers 1960, ses pivoines furent repérées par un Américain qui obtint les droits de vente aux États-Unis. La première à être commercialisée fut le cultivar 'Yellow Crown'.

Ce type de pivoines réunit les qualités des deux autres types : le feuillage décoratif profondément découpé et la richesse de floraison des pivoines arbustives, ainsi que la bonne rusticité des pivoines herbacées. La pivoine intersectionnelle ou hybride Itoh donne les seules fleurs de pivoines herbacées d'une belle couleur jaune foncé.

Plante – achat

À l'achat d'une plante, il est important de bien connaître ses caractéristiques afin de s'assurer qu'elle correspond à nos besoins :
- feuillage caduc ou persistant ;
- couleur du feuillage au printemps, à l'été et à l'automne ;
- texture du feuillage (velue, bosselée, nervurée) ;
- forme ou silhouette (érigée, fastigiée, pleureuse, conique, ovale, ronde, étalée) ;
- couleur, parfum et temps de floraison ;
- fructification, pour les oiseaux ou pour la cuisine ;
- taille (hauteur et largeur) ;
- vitesse de croissance ;
- rusticité.

Plante annuelle

Le cycle vital des plantes annuelles dure un an. Elles naissent, se développent et meurent à l'intérieur d'une année. Les plantes annuelles présentent un développement rapide et sont ainsi capables de fleurir un espace en peu de temps. Elles peuvent combler un vide entre les vivaces, les arbustes ou les bulbes. Ces plantes offrent généralement une floraison abondante et continue en saison. Elles gèlent après avoir fleuri tout l'été. Exemples : pétunia, tagète, tournesol, zinnia. Quelques-unes se ressèment naturellement (Souci, Cosmos).

Plante bisannuelle

Plus qu'une plante annuelle, moins qu'une plante vivace.

Développement

Le développement complet des plantes bisannuelles s'étale sur deux ans. Les plantes fleurissent généralement à leur deuxième année et meurent, ne produisant qu'un pied végétatif la première année. Comme elles sont improductives quant à la floraison pendant un an, plusieurs jardiniers les sèment dans un coin perdu du jardin et les repiquent à l'automne à l'endroit souhaité. Exemples : digitale, monnaie-du-pape, pâquerette, pensée, œillet de poète, rose trémière.

Emploi

La plantation de plusieurs plantes bisannuelles permettait à nos grands-mères de voir ces végétaux se ressemer un peu partout dans la cour, d'année en année, devant la clôture, au pied d'un pommier ou le long de la façade de la maison. Cette spontanéité amenait donc un jardin différent, qui prenait de l'ampleur chaque été, les plantes réussissant à partager le territoire avec les herbes ou les autres cultures.

Semis

Les plantes bisannuelles doivent être semées en été ou tôt à l'automne. Si on respecte cette règle, elles connaîtront l'année suivante une floraison généreuse. Certaines espèces comme les pensées (*Viola*) et les pâquerettes (*Bellis*) peuvent fleurir la première année si elles sont semées tôt en saison, mais elles présenteront des fleurs moins grosses et en plus petit nombre que si elles avaient été semées l'année précédente.

Plante géante

Les plantes hautes, élancées et majestueuses sont très peu exploitées dans les jardins. Pourtant, elles présentent des silhouettes intéressantes et forment souvent des bouquets de fleurs spectaculaires. On peut même profiter de leur stature pour masquer une vue désagréable. Même si elles font preuve de gigantisme, ces plantes ne sont généralement pas des dominatrices. Ainsi, elles peuvent être plantées à l'arrière-scène d'un massif floral ou en appui à un groupe d'arbustes.

Plante gélive

Beaucoup de plantes qualifiées d'annuelles au Québec sont en fait des plantes gélives qui ne résistent pas à nos hivers. Ces plantes sont aussi commercialisées sous le vocable de vivaces tendres, plantes semi-rustiques, plantes d'intérieur, etc. Dans les régions nordiques, nous sommes obligés de les traiter comme des annuelles, mais sous d'autres cieux, comme en Afrique tropicale ce sont des vivaces. On peut les rentrer à l'intérieur pour leur faire passer l'hiver sous forme de plant ou de bulbe. Exemples : l'agave, le canna, le coléus, le pélargonium.

Plante grimpante

Une plante grimpante, par définition, possède un moyen de s'appuyer sur une structure quelconque, comme des ventouses ou des crampons. Le comportement de la plante fait qu'elle est classée dans cette catégorie, plutôt que dans une famille botanique. En effet, les longues tiges de ces végétaux sont si faibles qu'elles ont dû mettre au point une technique pour se fixer à un support afin de croître. Elles s'y accrochent et peuvent ainsi gagner leur place au soleil sans trop de dépense d'énergie.

Plante médicinale

Identification et préparation

Certaines personnes confectionnent des remèdes à base de plantes. Si vous voulez le faire et que vous n'êtes pas un expert, voici quelques facteurs à considérer :

- l'identification de la plante est très importante (une erreur peut être coûteuse) ;
- la récolte doit être effectuée en période propice pour avoir une bonne teneur en principes actifs ;
- il faut s'assurer de bonnes conditions de séchage ;
- les conserver à l'abri de la lumière et de l'humidité ;
- traiter selon les modes d'emploi : décoction, infusion et macération.

Plante nectarifère

Voici quelques plantes qui attirent les précieux pollinisateurs au jardin, y compris quelques beaux papillons :

- plantes annuelles : bourrache, capucine, célosie, centaurée, cosmos, hélianthe, héliotrope, lantana, nicotine, œillet d'Inde, pétunia, tournesol, verveine, zinnia ;
- plantes vivaces : achillée, ail, asclépiade, aster, centaurée, coréopsis, échinacée, épilobe, eupatoire maculée, gaillarde, hémérocalle, lavande, liatride à épis, marguerite, menthe, monarde, phlox des jardins, primevère, œillet, orpin, rose trémière, rudbeckie, salicaire, scabieuse, verge d'or ;

- arbustes : arbre aux papillons, glycine, lilas, saule, spirée, sureau, viorne.

Plante noyée

De retour de vacances, vous trouvez vos plantes d'intérieur molles et jaunies ? Le diagnostic est simple : le voisin ou la belle-mère à qui vous aviez confié le soin de les arroser l'a fait avec trop de zèle et a « noyé » vos plantes. Le fait de vider les soucoupes et les réserves d'eau sous les pots et d'aérer la pièce suffira à remettre sur pied les moins vulnérables. Cependant, pour celles qui semblent plus détrempées, les démarches suivantes devraient leur assurer la survie :

- dépoter la plante ;
- envelopper la motte de plusieurs couches de papier absorbant et les changer jusqu'à ce que le papier reste sec ;
- laisser la plante emmaillotée pendant 24 heures et la rempoter par la suite ;
- cesser tout arrosage pour au moins trois ou quatre jours.

Mauvaise odeur
Si la terre dégage une mauvaise odeur :
- dépoter la plante ;
- enlever le maximum de terre autour de la motte tout en essayant de garder les racines intactes ;
- rempoter dans une terre nouvelle.

Comme la plante est affaiblie, il faut cesser toute fertilisation jusqu'à ce qu'elle ait repris du mieux.

Plante panachée

Pour nous, les jardiniers, une plante à feuillage panaché, c'est une plante dont les feuilles présentent une coloration inhabituelle composée de taches, de marbrures ou de bordures. Pour les spécialistes, ces « accidents botaniques » ont une explication. Les feuilles des plantes sont généralement vertes. Certains pigments font disparaître la chlorophylle dans le limbe, la partie plate et charnue de la feuille. C'est ce phénomène qui modifie la couleur des feuilles.

La plupart des plantes panachées qu'on connaît actuellement proviennent de manipulations effectuées par des hybrideurs, souvent amateurs : c'est le cas de plusieurs cultivars de hostas. Certaines sont le fruit de mutations naturelles ; le genre *Pulmonaria* a produit plusieurs spécimens de cette façon. D'autres panachures sont l'effet d'un virus souvent inoffensif : l'obtention de la capucine panachée (*Tropaeolum majus* 'Alaska') est due à un virus.

Panachure passagère

Attention, certaines plantes ne présentent une panachure qu'au printemps, alors que d'autres attendent l'été et même l'automne pour se colorer :

- l'iris des marais panaché (*Iris pseudacorus* 'Variegata') : les feuilles rayées de jaune de cet iris qui affectionne les sols humides voire détrempés se décolorent progressivement après sa floraison pour devenir vertes au milieu de l'été ;

- le hosta de Fortune 'Gold Standard' (*Hosta fortunei* 'Gold Standard') : ce hosta de 60 cm de largeur sur 60 cm de hauteur (24 po sur 24 po) se plaisant à l'ombre ne prend ses vraies couleurs qu'au cours de l'été ;

- le chou frisé décoratif (*Brassica oleracea*) : les feuilles de cette plante annuelle qui demande le plein soleil ne deviennent spectaculaires que lorsque la température nocturne s'abaisse à 10 °C (50 °F), donc en automne ;

- les fleurs des elfes (*Epimedium*) : ces vivaces, qui aiment un sol humifère, sont parfaites pour l'aménagement des sous-bois ; au printemps, certaines présentent de minuscules fleurs pendantes blanches, jaunes ou orange, dans des feuillages marbrés de rouge, de bronze ou de brun.

Plante parfumée

« Un jardin sans parfum serait aussi triste qu'un jardin sans couleur. »

Anonyme

Les humains sont capables de distinguer environ 1 000 variétés de parfums. Ce n'est qu'une infime partie de ce que peut différencier un bon chien de chasse. Cependant, comme nos espaces de jardinage sont habituellement restreints, il y a suffisamment de plantes parfumées pour satisfaire les plus exigeants.

Les fragrances dégagées par les plantes proviennent des huiles essentielles, emmagasinées par les végétaux, qui s'évaporent et laissent ainsi échapper dans l'air des molécules parfumées. Habituellement, les huiles se trouvent dans l'épiderme des pétales de la fleur. Le parfum peut aussi se trouver dans le feuillage qui demande à être frôlé, froissé ou écrasé pour dégager son parfum.

Fragrances de citron

- La fraxinelle (*Dictamnus albus*) ;
- l'iris barbu 'Dusky Challenger' (*Iris* 'Dusky Challenger') ;
- les rosiers 'Blue Moon' et 'Graham Thomas' (*Rosa* 'Blue Moon' et 'Graham Thomas').

Fragrances de vanille

- L'héliotrope du Pérou (*Heliotropium arborescens*) ;
- le pétunia (*Petunia*) ;
- l'iris panaché à fleurs pâles (*Iris pallida* 'Variegata').

Fragrances sucrées

- Le lis oriental 'Stargazer' (*Lilium* 'Stargazer') ;
- la capucine (*Tropaeolum majus*) ;
- la verveine 'Peach & Cream' (*Verbena* 'Peach & Cream').

Jardinières et pots

- Le pétunia retombant (*Petunia*) ;
- l'héliotrope du Pérou (*Heliotropium arborescens*) ;
- la giroflée des rochers (*Matthiola incana*) ;
- le tabac odorant (*Nicotiana affinis*).

Noctambules

Certaines plantes n'émettent leur parfum qu'en soirée ou c'est à ce moment-là qu'il est le plus fort :

- l'acidanthera ou glaïeul d'Abyssinie (*Acidanthera bicolor*) : les fleurs blanches de cette plante bulbeuse à floraison estivale, portant en leur centre une marque rouge-violet, dégagent des effluves sucrés ;

acidanthera

- le hosta plantain 'Royal Standard' (*Hosta plantaginea* 'Royal Standard') : une floraison au parfum tropical qui revient à la fin de chaque été ;
- le quatre-heures ou belle-de-nuit (*Mirabilis jalapa*) : une plante annuelle dont les fleurs émettent une délicieuse odeur de citron ;
- le rosier rugueux 'Blanc double de Coubert' (*Rosa rugosa* 'Blanc double de Coubert') : un parfum très agréable émane de ses fleurs blanches ;
- le datura fausse stramoine 'Evening Fragrance' (*Datura meteloides* 'Evening Fragrance') : les fleurs blanches pendantes en forme d'entonnoir de cette annuelle diffusent de doux effluves en soirée.

Parfums automnaux

- Le brugmansia (*Brugmansia*) ;
- l'arbre aux papillons (*Buddleia davidii*) ;
- le rosier 'Graham Thomas' (*Rosa* 'Graham Thomas') ;
- l'hamamélis de Virginie (*Hamamelis virginiana*).

Parfums estivaux

- Les vieilles variétés de pivoines comme 'Festiva Maxima' (*Pæonia* 'Festiva Maxima') ;
- la clématite droite (*Clematis recta*) ;
- le thym serpolet (*Thymus serpyllum*) ;
- les œillets (*Dianthus*) ;
- les roses anglaises de David Austin (*Rosa*) ;
- les lis trompette et les lis orientaux (*Lilium*) ;
- le pois de senteur (*Lathyrus odoratus*) ;
- le cosmos chocolat (*Cosmos atrosanguineus*).

Parfums printaniers

- Le daphné bois joli (*Daphne mezereum*) ;
- l'iris réticulé *(Iris reticulata)* ;
- le magnolia étoilé (*Magnolia stellata*) ;
- la tulipe 'General de Wet' (*Tulipa* 'General de Wet') ;
- la jonquille 'Thalia' (*Narcissus* 'Thalia') ;
- le muguet (*Convallaria majalis*) ;
- le muscari d'Arménie (*Muscari armeniacum*) ;
- le gadelier odorant (*Ribes odoratum*) ;
- le lilas commun et ses hybrides (*Syringa vulgaris*) ;
- plusieurs pommiers et pommetiers (*Malus*).

muguet

Place au jardin

L'appréciation des parfums est subjective, le sens olfactif étant l'un des plus personnels. On peut s'accorder sur quelques points cependant. Certaines odeurs sont légères et agréables à distance mais, de près, elles s'avèrent fortes, désagréables et même repoussantes. Par exemple, une concentration de lis hybrides trompettes dans un endroit fermé ou non aéré exhale un parfum trop fort. Ces plantes ne doivent pas être placées près des passages ou des bancs de jardin, mais à une certaine distance afin que leur parfum perde un peu de son intensité lorsqu'il parvient à nos narines.

Par contre, certaines plantes exigent qu'on ait le nez à proximité pour sentir leur parfum ; elles doivent donc être utilisées comme plantes de bordure. Il faut s'agenouiller pour humer les petites fleurs de la violette odorante (*Viola odorata*). Certaines plantes insomniaques dégagent leur parfum le soir ou durant la nuit. Il est donc important de connaître les caractéristiques du parfum de chaque plante qu'on place dans son jardin afin de les mettre au bon endroit pour humer leur parfum adéquatement, et ce, au moment propice.

Plante qui ne paie pas son loyer

Parfois, les plantes « ne sont pas en accord » avec l'endroit où on les place dans un aménagement. Ces plantes récalcitrantes nous font savoir par toutes sortes de manifestations leur mécontentement : en donnant un piètre rendement, en se dégradant, en souffrant de maladies fongiques, en étant attaquées par des insectes, etc.

Quelle attitude adopter ? D'abord, il faut se demander si on a cultivé cette plante selon ses besoins spécifiques. Pour cela, on peut consulter plusieurs sources : des livres d'horticulture, des amis plus expérimentés ou des experts de la jardinerie locale. Si on a respecté ses exigences, on peut la changer de place : souvent, on obtient de meilleurs résultats. Par exemple, le nouveau site peut être mieux protégé des vents, procurer plus de chaleur à la plante ou lui donner une nouvelle vigueur. Si la plante ne répond pas et continue « à ne pas payer son loyer », donnez-la à un ami qui réussira peut-être mieux que vous ou envoyez-la au compost, sans quoi elle continuera à déparer vos plates-bandes tout en vous demandant un travail inutile.

Plante religieuse

- L'alchémille molle, la patte-de-lion, le manteau de Notre-Dame (*Alchemilla mollis*) ;
- l'amaranthe queue-de-renard, la discipline de religieuse (*Amaranthus caudatus*) ;
- l'angélique archangélique, l'angélique officinale, l'herbe aux anges, l'herbe aux esprits (*Angelica archangelica*) ;
- le crocosmie 'Lucifer' (*Crocosmia crocosmiiflora* 'Lucifer') ;
- le cypripède acaule, le sabot de la Vierge (*Cypripedium acaule*) ;
- le cœur-saignant, le cœur de Marie (*Dicentra spectabilis*) ;

- la digitale pourpre, les gants-de-Notre-Dame (*Digitalis purpurea*) ;
- le fusain d'Europe, le bonnet carré, le bonnet-de-prêtre (*Euonymus europæus*) ;
- l'immortelle à bractées (*Helichrysum bracteatum*) ;
- la jusquiame noire, le tabac du diable (*Hyoscyamus niger*) ;
- la croix de Malte, la croix de Jérusalem (*Lychnis chalcedonica*) ;
- l'œillet de janséniste ou lychnide visqueuse (*Lychnis viscaria*) ;
- le lis de Saint-Bruno, le lis des Alpes, paradisie faux-lis (*Paradisea liliastrum*) ;
- le pétunia, le Saint-Joseph (*Petunia*) ;
- le lis de Saint-Jacques, le lis de Jacob, la Croix Saint-Jacques (*Sprekelia formosissima*) ;
- la sylibe de Marie ou le chardon de Marie (*Sylibum marianum*) ;
- la molène, le tabac du diable, le bouillon blanc (*Verbascum thapsus*) ;
- le lys de la Madone, lis blanc, lis de la Saint-Jean (*Lilium candidum*).

Plante tapissante – nettoyage

Durant l'été, les araignées tissent des toiles sur les tapis de joubarbes ou de saxifrages. Des déchets transportés par le vent s'y incrustent. Comme il est difficile de les nettoyer, surtout si elles sont éloignées des passages, on peut utiliser un pinceau au bout d'une tige de fer. Ceci permet d'atteindre aisément ces tapis et d'enlever les toiles d'araignées sans risquer d'endommager les autres plantes.

Plante vivace

Certaines plantes vivent plus de deux ou trois ans. Elles peuvent donc fleurir et refleurir chaque année. Le cycle de vie de la pivoine et de la fraxinelle, par exemple, peut s'étaler sur des dizaines d'années. Ce sont des plantes vivaces de longue durée. Par contre, la longévité de certaines, comme le lupin et le pied d'alouette, est plus courte. Leur vie peut se limiter à quatre ou cinq ans.

Nettoyage automnal

Il ne faut pas oublier que, même si elles paraissent fanées, les tiges de nombreuses plantes vivaces demeurent encore coriaces en automne. Si on tente d'arracher des tiges de pivoines qui paraissent « mortes », bien souvent on arrache des bourgeons et une partie de la plante. Il vaut donc mieux se servir du sécateur pour couper les tiges de nombreuses vivaces plutôt que de tirer dessus pour nettoyer les plates-bandes.

Nettoyage printanier

Au printemps, on peut laisser les nouvelles pousses des vivaces se frayer un chemin à travers les feuilles, le feuillage desséché et les brindilles écrasées par la neige, comme dans la nature. Cependant il est plus esthétique de faire le tour des plantes et de leur donner un bon nettoyage : taille des tiges mortes, ramassage des feuilles tombées au sol, etc. De plus, si on se souvient qu'à la saison précédente une plante était malade, il faut absolument nettoyer sa base et son entourage puis détruire les résidus pour empêcher que le feuillage contaminé de l'année précédente ne transmette la maladie aux nouvelles pousses. Il faut faire attention cependant de ne pas endommager les nouvelles tiges au cours de cette opération.

Plate-bande – largeur

Quand on commence à jardiner, on a tendance à se faciliter la tâche, car on n'a pas encore le feu sacré. Lorsque vient le temps d'aménager une plate-bande, on la fait la moins large possible, surtout si le sol est difficile à travailler. On se dit qu'on débute et que si on aime cela, on l'élargira.

On se rend à la jardinerie (je m'en souviens encore comme si c'était hier), on achète plusieurs plantes à rabais dans de très petits pots parce qu'on ne veut pas payer trop cher, et on les plante tous les 10 cm (5 po), sans avoir lu l'étiquette pour s'informer de la dimension qu'elles atteindront. Après trois ans, les plantes sont devenues des « siamoises inconfortables »... et on doit élargir les plates-bandes. Un bon conseil : si on travaille avec des plantes vivaces, mieux vaut prévoir une plate-bande d'au moins 1,8 m (6 pi) de largeur, quitte à la faire moins longue, que d'avoir à l'élargir un an plus tard. Cela permet d'avoir des floraisons tout au long de l'été et de placer des arbustes à l'arrière-plan.

Pluviomètre

Le jardin et la pelouse ont besoin de recevoir 30 mm d'eau en sept jours. Un pluviomètre gradué permet d'évaluer la quantité de pluie tombée et l'eau des arrosages. On n'arrose pas assez ou on dépasse la quantité requise sans ce calcul, ce qui est néfaste. Certains systèmes d'arrosage automatiques sont maintenant équipés d'un pluviomètre, afin de ne pas « inonder » les terrains inutilement.

Pommetier

Calendrier des soins

Mars	Avril	Mai-juin	Juillet-août	Septembre-octobre-novembre	Hiver
• Coupe des branches mortes ou affaiblies par le gel. • Taille d'aération (branches qui se croisent ou se dirigent vers l'intérieur).	• Huile insecticide au stade dormant (avant l'apparition de vert sur les bourgeons). • Ramassage et brûlage des feuilles et des fruits au sol. • Fertilisation organique ou chimique.	• Protection des insectes pollinisateurs durant la floraison. • Bouillie bordelaise comme protection contre le feu bactérien.	• Surveillance pour la tavelure. • Désherbage et sarclage du sol près de l'arbre. • Savon insecticide si pucerons.	• Ramassage et brûlage des feuilles et des fruits qui tombent. • Installation de grillage ou de tuyau contre les mulots. • Bouillie bordelaise si chute des feuilles prématurée.	• Protection contre les mulots qui peuvent gruger l'écorce des troncs.

Lutte à la tavelure

Le principal ennemi des pommetiers est la tavelure, une maladie causée par un champignon qui se propage lorsque que le climat est humide. Les feuilles se recouvrent de taches olive devenant brunes en août. Il peut arriver, lors d'une forte attaque, que l'arbre perde presque toutes ses feuilles à la fin de l'été ou au début de l'automne. Bien que cette maladie ne soit pas mortelle, cette chute prématurée des feuilles peut entraîner une baisse de vigueur de l'arbre atteint. Suite à une telle attaque, une bonne fertilisation printanière est fort utile pour conserver en bonne santé notre joyau horticole.

Le meilleur moyen de lutter contre la tavelure est d'acheter des espèces ou des cultivars qui sont résistants à cette maladie. Dans de bonnes conditions de culture, les pommetiers suivants se comportent très bien contre cette maladie fongique :

- le pommetier du Japon (*Malus floribunda*) : boutons rouges, fleurs roses ;
- le pommetier de Sargent 'Tina' (*Malus sargentii* 'Tina') : boutons roses, fleurs blanches ;
- les cultivars 'Coccinella' (fleurs roses), 'Dolgo' (fleurs blanches), 'Evereste' (fleurs roses devenant blanches), 'Indian Summer' (fleurs rouge-rose), 'Narangansett' (fleurs blanc rosé), 'Pom'zai' (boutons roses, fleurs blanches) et 'Royal Beauty' (fleurs rouges).

Pot

Terre cuite ou plastique

Cela dépend de la culture que l'on fait. Par exemple, pour les cactées ou les plantes grasses, la terre cuite (*terra cotta*) convient très bien, car la terre sèche vite et cela permet d'éviter la pourriture des racines. Par contre, les plantes qui demandent beaucoup d'eau devront être arrosées plus souvent dans un pot de terre cuite.

Racines qui sortent des trous de drainage

Il arrive que l'on doive transplanter une plante en contenant dont les racines sortent des trous de drainage. Ce phénomène survient lorsque le plant est entreposé depuis longtemps en pot à la pépinière ou qu'on a attendu plusieurs semaines avant de le planter. Doit-on couper ces racines afin de sortir la plante du contenant ? La réponse est non.

Il vaut mieux en effet sacrifier le pot, car les racines qui s'en sont échappées sont les radicelles, les parties les plus actives du système racinaire servant à absorber l'eau et les éléments minéraux nécessaires à la bonne croissance du plant. Il s'agit de découper le pot avec de bons ciseaux ou un sécateur. En coupant le pot à partir du bord jusqu'au trou et en dégageant les racines tranquillement pour ne pas les abîmer, on peut conserver ces précieuses radicelles, qui peuvent faire la différence entre une bonne reprise de notre plante et sa mort.

Potager – site idéal

Quand on fait un potager, on veut avoir des produits sains et de bonne taille. Il faut donc bien choisir l'emplacement du potager en examinant s'il correspond aux exigences de culture des fruits et légumes. Voici quelques facteurs à considérer dans le choix du site :
- une bonne protection contre les vents dominants ;
- assez loin de la compétition des arbres et des arbustes ;
- près de la maison et d'une prise d'eau ;
- au moins six heures de soleil par jour ;
- orientation sud ;
- pas de dépression, l'eau s'y accumule ;
- pas trop surélevé, l'endroit s'assèche vite ;
- sol retenant l'eau mais bien drainé ;
- sol fertile.

Potée fleurie

Une potée fleurie peut être composée de plantes vivaces, de plantes annuelles, de fines herbes, de rosiers nains, d'arbustes à petit développement et même de plantes tropicales.

L'usage de la culture en pot au jardin remonte aux Égyptiens, et cette méthode de jardinage a été imitée par les Grecs et les Romains. C'est surtout depuis la Renaissance que les potées fleuries sont une mode fort prisée au jardin.

Cet engouement s'explique facilement par le fait qu'on peut transformer instantanément un espace sans attrait ou un coin oublié en un véritable jardin fleuri. Le jardinage en contenant est parfait pour celui qui aime le changement. En effet, le jardinier peut déplacer ses potées fleuries et essayer de nouveaux effets décoratifs, selon ses caprices.

Aménagement

Le jardin le mieux réussi est celui qui a une mise en scène esthétique et harmonieuse. Voici quelques trucs pour bien intégrer une potée fleurie dans un aménagement.

Il ne faut pas surcharger l'aire à décorer. Si on veut un point d'intérêt, un seul pot suffit : il sera alors de bonne dimension. Les petits contenants doivent être regroupés. Dans un jardin classique, les grands pots sont alignés pour former une allée. Il faut éviter de les regrouper en nombre pair : un groupe de pots de nombre impair forme un tout plus harmonieux. Un contenant non garni de plantes fait aussi une belle décoration, isolé, sur un piédestal ou au sol. Il peut aussi jaillir de la verdure placé au milieu des végétaux d'une plate-bande. Un peu de vert-de-gris, produit par les mousses et les lichens, donne un air ancien très prisé des connaisseurs.

Qui n'a pas déjà rêvé devant l'image d'un calendrier ou d'un vieux livre, représentant d'immenses vases victoriens débordant de fleurs, telles des sentinelles de chaque côté d'un banc aux motifs très ouvragés !

Aménagement d'un décor horticole mobile

Un ensemble de potées fleuries permet :
- de créer un décor horticole là où toute autre méthode de culture serait difficile, voire impossible ;
- d'aménager un décor instantané ;
- de le modifier à volonté ;
- d'ajouter une touche finale à un aménagement paysager ;
- de déplacer une plante pour la mettre en évidence au moment de sa floraison ;
- de la mettre en retrait quand les fleurs commencent à se faner.

Arrosage

Il faut arroser le matin, en profondeur, plutôt qu'à petites doses. La dimension du pot détermine l'exigence en eau :
- un pot de 25 cm (10 po) exige 2 litres d'eau ;
- un pot de 40 cm (16 po) exige 3 litres d'eau ;
- un pot de 50 cm (20 po) exige 5 litres d'eau.

On arrose jusqu'à ce que l'eau sorte par les trous de drainage. Attention, l'eau doit pénétrer dans la terre. Des mottes compactes n'absorbent pas d'eau, celle-ci coulant le long de la paroi du pot. La plante doit alors faire l'objet d'un rempotage.

Choix du contenant

Il existe plusieurs types de contenants : la jarre à fraisier, le demi-tonneau, l'auge, l'urne, la jardinière, le panier suspendu, etc. Pour choisir le type qui convient, on peut considérer les critères suivants :

- les pots peu coûteux en plastique se détériorent au contact des rayons UV;
- les contenants en terre cuite sèchent rapidement;
- les contenants en bois sont sujets à la pourriture: le cèdre est relativement résistant à la putréfaction et peut être utilisé sans préservatif ou teinture (éviter le bois traité avec du créosote ou d'autres substances toxiques); un avantage: les contenants peuvent être construits à la grandeur et à la forme de l'emplacement choisi;

- les petits pots restreignent l'espace pour les racines des plantes;
- le nombre de plantes que l'on veut cultiver dans un même contenant détermine la grosseur du pot;
- s'assurer qu'il y a des trous de drainage, qui devraient mesurer environ 1 cm (1/2 po) de diamètre; élever le pot sur des briques ou des petits blocs pour s'assurer de l'écoulement de l'eau;
- les pots aux teintes pâles absorbent moins la chaleur.

Drainage

Pour minimiser le risque de pourriture des racines des plantes en pots, on peut prévoir une couche de drainage au fond de ceux-ci. Plusieurs optent pour la méthode classique, soit des morceaux de terre cuite provenant d'un pot cassé. On peut aussi employer des galets.

À défaut, des matériaux recyclés peuvent dépanner. Ainsi, on peut utiliser du papier d'aluminium qui a servi à emballer ou à recouvrir des produits. Pourquoi ne pas le récupérer ? On n'a qu'à le froisser pour constituer de petites boules pouvant servir au drainage des plantes en pot.

Matériau du contenant

Le choix du matériau du contenant est important. Rien n'égale la beauté naturelle des pots en terre cuite, qui se marient très bien avec les plantes. Il faut acheter des pots de bonne qualité, qui ont été cuits pour résister aux grands froids. Même si certains peuvent hiverner à l'extérieur, il est sage de les rentrer au soussol ou de les mettre dans un abri.

Plantes tropicales

Pourquoi ne pas sortir les plantes de nos maisons durant l'été ?

- Les plantes exotiques peuvent être placées à l'extérieur au cours de la période estivale afin de décorer le jardin ;
- l'intérieur de nos maisons modernes n'est pas idéal pour la culture des plantes exotiques en hiver (luminosité faible, jours courts, chaleur, déficience de l'humidité) ; l'été, elles peuvent donc bénéficier des conditions extérieures (selon leur degré de résistance au froid) afin de se refaire une beauté ;

- pour ne pas avoir de difficulté à les cultiver à l'intérieur, choisir des espèces et des cultivars qui résistent bien à la faible luminosité de nos maisons : les broméliacées, les euphorbes et des aracées sont des qui tolèrent les conditions difficiles de nos résidences modernes.

Style de contenant

Avant de choisir un contenant, il ne faut pas oublier que sa qualité ornementale est aussi importante que les plantes qui y logeront. Son aspect décoratif doit être en harmonie avec son environnement. Une urne modelée avec des chérubins trouve sa place dans un jardin classique, alors qu'un pot japonais s'intègre mieux dans un jardin de style oriental. Les potées fleuries en ciment ou en terre cuite peuvent raffiner la mise en scène d'un coin de jardin ou créer une frontière entre deux espaces.

Taches

Lorsqu'on achète des pots en terre cuite, ils arborent une couleur uniforme et décorative qui s'intègre très bien à l'environnement végétal. Au cours de la saison, on remarque que des dépôts blanchâtres apparaissent sur les parois extérieures du pot. Ce phénomène est bien naturel. Il s'agit de sels minéraux cristallisés qui proviennent souvent du calcaire de l'eau d'arrosage ou d'applications d'engrais liquide. Le tout est sans danger pour la santé des plantes, mais ces dépôts sont tout de même inesthétiques. Ces traces blanchâtres peuvent être facilement enlevées en brossant la surface avec de l'eau vinaigrée.

Principe actif

« On appelle principes actifs les substances chimiques mises par le Créateur dans les plantes médicinales, responsables de leur action bienfaisante. »

Cie des remèdes de l'Abbé Warré enr. 1962

Prix horticole

Plusieurs centaines de nouvelles variétés de plantes sont lancées chaque année. Nous sommes inondés par la publicité de ces futures vedettes horticoles proposées par les producteurs et les distributeurs de semences d'annuelles, de vivaces, de fines herbes et de plantes potagères. Comme il est impossible d'évaluer tous les produits des hybrideurs, des organisations indépendantes et très bien structurées le font pour nous. Deux associations décernent des « Oscars » : All America Selections en Amérique du Nord et Fleuroselect en Europe. À l'occasion, il arrive qu'une nouveauté horticole gagne simultanément les deux concours, ce qui en fait un choix de marque.

All America Selections : Les All America Selections ont été créées en 1932. Les nouveautés sont évaluées sur plus de 30 sites en Amérique du Nord. Les variétés les plus prometteuses reçoivent la médaille d'or All America Selections. Deux sites font l'évaluation ou la démonstration de ces plantes au Québec : le Jardin Roger-Van den Hende à Québec et le Jardin Daniel A. Séguin à Saint-Hyacinthe.

Fleuroselect : Les sites d'essai des prix Fleuroselect sont répartis dans toute l'Europe. La médaille d'or de Fleuroselect est accordée aux variétés qui se sont qualifiées comme exceptionnelles. Des médailles de mérite sont remises à d'autres variétés qui se sont distinguées. Le Jardin Daniel A. Séguin a été reconnu à titre de jardin de démonstration de l'organisation européenne indépendante Fleuroselect pour présenter les nouveautés horticoles primées par cet organisme.

Protection hivernale

Enlever les protections hivernales est une opération qui paraît simple à première vue. En ce qui concerne les clôtures à neige et les filets de protection, ils peuvent être retirés aussitôt que le dégel de la terre le permet, car ces accessoires sont placés pour protéger les végétaux fragiles au poids de la neige ou du verglas. Cependant, il faut être très vigilant pour les toiles géotextiles ou les autres protections du même genre qui servent à abriter du froid et des vents dominants. En effet, les caprices du temps sont fréquents à cette période et les végétaux ainsi protégés sont souvent hors de notre zone de rusticité. Il faut donc éviter la surchauffe mais aussi les chocs. On doit donc effectuer ce travail une journée nuageuse et le plus tôt possible au printemps.

Puceron

Coccinelles

Encore cette année, les pucerons vont manifester un amour « dévorant » pour plusieurs de nos plantes. Aucune trêve avec eux! Heureusement pour nous, il existe de nombreux insectes prédateurs qui raffolent de ces ravageurs, comme la coccinelle à sept points. Les coccinelles adultes consomment de 40 à 60 pucerons par jour. De plus, les larves des « bêtes à bon Dieu » mangent de 200 à 600 pucerons au cours de leur développement, qui dure environ 20 jours. Il faut donc les protéger dans nos jardins.

Jet d'eau

Si on observe une colonie de pucerons sur le bouton floral d'une tige de rosier, il vaut mieux utiliser un jet d'eau sous pression pour les déloger, car cette méthode ne détruit pas les coccinelles. Certains signes indiquent l'arrivée des imposteurs : une circulation

Quatre-saisons

On reçoit souvent à Pâques ou à la fête des Mères des plantes communément appelées quatre-saisons. Peut-on les planter dans les jardins et surtout survivront-elles au Québec afin de nous offrir chaque année leur belle floraison ? Ces arbustes sont en fait des hortensias à grosses feuilles (*Hydrangea macrophylla*). Ils sont rustiques en zone 5b. Plusieurs personnes réussissent à les cultiver dans des régions comme les environs de Québec, à cause d'une bonne couverture de neige tôt à l'automne et jusqu'au printemps. Ce n'est pas seulement à cause de leurs racines qu'ils peuvent geler. Le vent froid peut aussi brûler les bourgeons floraux, détruisant ainsi la future floraison. Les endroits ventés sont donc à éviter. Afin de conserver notre cadeau et de tenter de le voir refleurir, on peut donc essayer de le cultiver à l'extérieur.

Racine en faisceau

Les plantes dotées de ce type de système radiculaire présentent des racines latérales presque aussi grosses que la racine principale. Elles sont habituellement faciles à transplanter ou à diviser. Il faut cependant travailler le sol autour de ces plantes afin qu'elles puissent développer un système radiculaire assez important pour assurer leurs besoins en eau et en éléments nutritifs.

Exemples : capucine, mauve musquée, oseille, plusieurs graminées, poireau, renoncule.

Racine pivotante

Dans ce type de système radiculaire, la racine principale peut atteindre une taille considérable. Elle s'enfonce souvent profondément dans le sol. Ce genre de plante peut aller chercher l'eau et les éléments nutritifs à une bonne profondeur, ce qui lui permet de mieux tolérer des conditions de stress comme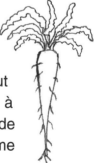

une sécheresse. Par contre, les plantes qui présentent ce système radiculaire sont très difficiles à transplanter. Comme leurs racines sont profondes, elles peuvent être plus rustiques que celles dont les racines s'étalent près de la surface du sol.

Exemples : angélique, carotte, chêne, lupin, noyer, pavot d'Orient, pissenlit.

Résistance aux maladies et aux insectes

On doit tous faire des efforts pour sauver la planète de la pollution. On doit donc éviter d'acheter des végétaux qui sont vulnérables aux maladies et aux insectes. Ces plantes exigent des traitements chimiques qui polluent l'environnement et qui nécessitent un apprentissage de techniques de lutte coûteuses ne donnant pas toujours de bons résultats.

Rhododendron

Calendrier des soins

Printemps	Été	Automne
• Enlever les protections hivernales au cours d'une journée nuageuse ; • tailler les branches cassées par le poids de la neige ; • planter les nouveaux plants afin que leurs racines aient le temps de bien s'établir avant l'hiver ; • fertiliser les plants avec un engrais spécifique pour rhododendrons, si on n'a pas de compost (attention, ce ne sont pas des plantes gourmandes) ; • transplanter un plant mal situé tôt au printemps permet une bonne reprise.	• Enlever les inflorescences fanées le plus tôt possible après la floraison ; • rééquilibrer la structure du plant, au besoin, en pinçant le nouveau bois tendre ou en taillant des branches après la floraison ; • afin d'obtenir d'autres plants, si désiré, marcotter des branches qui traînent sur le sol ; • ajouter un paillis de compost, en juillet, afin de garder le système radiculaire au frais durant les chaudes journées de l'été ; • arroser en période de canicule car le système radiculaire n'est pas capable d'aller chercher l'eau en profondeur.	• Déposer un paillis de protection afin de protéger le système radiculaire contre le gel ; • protéger les branches des rhododendrons à feuillage persistant contre le poids de la neige, avec une clôture à neige par exemple ; • il est toujours possible de planter des rhododendrons en contenant ; • arroser à l'Action de grâce si l'automne a été excessivement sec, mais pas avant afin de ne pas empêcher l'endurcissement de l'arbuste au froid ; • mettre une protection hivernale aux plus frileux.

Feuillage persistant ou feuillage caduc

Feuillage persistant	Feuillage caduc (qui perd ses feuilles à l'automne)
• Arbuste habituellement désigné comme un rhododendron ; • arbuste qui peut atteindre de bonnes hauteurs ; • feuilles épaisses et vernissées ; • gros bouquets de fleurs ; • valeur ornementale du feuillage durant toute l'année ; • sensible au soleil ; • tolérance des situations plus ombrées.	• Arbuste encore souvent désigné en horticulture pratique comme une azalée ; • arbuste généralement de taille réduite ; • feuilles non lustrées ; • plus petits bouquets de fleurs ; • belle couleur automnale dorée ou bronze du feuillage ; • moins sensible au soleil ; • moins bonne tolérance aux situations trop ombragées.

Spécimens finlandais

Vous jardinez dans une région au climat rigoureux et ça fait longtemps que vous rêvez d'acheter un rhododendron dont les bourgeons floraux résisteraient à des températures aussi basses que -35 °C (-30 °F) ? Votre rêve est devenu une réalité. Le rhododendron 'Haaga' (*Rhododendron* 'Haaga') et ses congénères, issus du programme d'hybridation de l'Université de Helsinki en Finlande, seraient rustiques jusqu'en zone 3. 'Haaga' arbore des fleurs rose sombre en forme de cône et un feuillage vert lustré. Pouvant atteindre une hauteur de 1,8 m (6 pi) à maturité, cet arbuste de forme érigée affectionne un sol acide. Un paillage régulier lui assure l'humidité nécessaire à son bon développement. L'avenir nous dira si les promesses des hybrideurs finlandais sont à la hauteur... des rigueurs de notre climat.

Rhubarbe – cocktail

Une recette de mon amie Gisèle Bolduc.

- Faire bouillir 500 ml (2 tasses) de rhubarbe coupée dans 500 ml (2 tasses) d'eau pendant 15 minutes. Filtrer dans une passoire.
- Ajouter 125 ml (1/2 tasse) de sucre, 125 ml (1/2 tasse) de jus d'orange et 15 ml (1 c. à soupe) de jus de citron. Refroidir.
- Verser dans un verre et ajouter du vin mousseux (1/2 partie de concentré de rhubarbe pour 1/2 partie de mousseux).

Rince-doigts

Lorsque vous recevrez des invités pendant l'été pour un repas de fruits de mer, offrez-leur des feuilles de pélargonium odorant (*Pelargonium odoratus*) comme rince-doigts. En plus de participer à l'effet décoratif de la table, cette « assistance végétale » impressionnera vos amis surtout si vous leur faites choisir le parfum. Ils auront le choix : effluves citronnés (*P.* 'Citrosa'), parfum de rose (*P. capitatum* 'Attar of Roses' ou *P.* 'Charity'), senteur de menthe (*P. quercifolium* 'Chocolate-Mint'), etc. Comme ces plantes se cultivent facilement en pot, vous n'avez qu'à disposer les potées fleuries près de la table et vos invités pourront choisir la forme de leur rince-doigts ainsi que sa couleur.

Rocaille

Aménagement

Une rocaille est un aménagement réalisé sur un espace rocheux, le plus souvent en pente. Cette pente peut être artificielle. Voici quelques éléments qui peuvent nous guider pour l'aménagement de ce type de jardin :

- il est préférable de tracer les grandes lignes sur une feuille de papier au préalable ;
- cependant, il ne faut pas oublier que l'aménagement ne peut répondre à un plan précis : il dépend fortement de la position des roches et des espaces laissés par ces éléments inertes ;
- les choix de plantes sont nombreux : fougères, graminées, conifères nains, bruyères, rosiers couvre-sol, plantes alpines, etc. ;
- la diversité des plantes est de mise, mais il faut éviter les contrastes de couleurs trop violents ;
- en bas de la pente on place des plantes basses et tapissantes ;
- comme la terre du haut de la rocaille est toujours plus sèche que celle de la base, on doit placer au sommet des plantes qui supportent bien la sécheresse ;
- il vaut mieux opter pour la sobriété des couleurs, en évitant de disséminer de grandes quantités d'annuelles ;
- la première année de l'installation d'une rocaille est cruciale, car il faut que les végétaux puissent bien s'établir pour résister aux conditions de drainage d'un tel aménagement ;
- la culture des plantes retenues doit être facile.

Position des roches

Les roches retiennent la terre de la rocaille et donnent un aspect montagnard à l'aménagement. Leur mise en place doit se faire en respectant certains concepts de construction et bien entendu certaines règles esthétiques :

- placer une couche de gros gravier, puis du sable sous les pierres pour les stabiliser ;
- placer les roches au hasard, quelques-unes solitaires, d'autres en groupe ;
- ne pas les espacer également ;
- déposer la pierre du côté le plus stable ;
- les grosses roches sont idéales pour le niveau inférieur ;
- placer les roches plus longues que larges horizontalement et non verticalement (on ne veut pas ériger un menhir) ;
- enterrer une bonne portion de la pierre dans le sol pour qu'on ait l'impression que les débris qui sont tombés avec elle de la montagne l'ont enterrée de moitié, comme dans un vrai éboulis ;

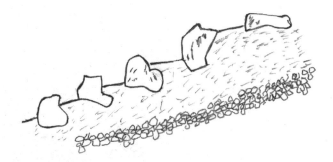

- la pierre ne doit pas bouger quand on se place sur son sommet ;
- il faut prévoir une aire de circulation pour l'entretien, en jouant avec des pierres pour créer des marches ;
- enfin, ne jamais oublier qu'une rocaille doit imiter la nature.

Rose trémière

Les roses trémières ou passe-roses étaient l'une des fleurs préférées de nos grands-mères à cause de leur capacité à décorer la façade de la maison avec leurs longues tiges présentant des fleurs simples ou doubles. Comme les Victoriens, nos grands-mères préféraient les formes doubles. On dit que les passe-roses étaient en compétition avec les dahlias pour fleurir le jardin à la fin de l'été.

Rosier

La rose est sans doute la plante la plus cultivée dans le monde. Il existe plusieurs variétés de rosiers (rosier de Damas [*Rosa damascena*], rosier hybride de thé, rosier rugueux [*Rosa rugosa*], rosier grimpant, rosier sarmenteux, etc.). Ce sont des valeurs sûres au jardin : plusieurs sont parfumés, leur floraison est magnifique et leurs tiges florales conviennent parfaitement aux bouquets de fleurs coupées. L'arbuste et sa floraison s'harmonisent généralement bien avec les éléments décoratifs et les autres plantes.

Il faut cependant les choisir en considération des soins qu'on est prêt à leur apporter. Si on veut y consacrer beaucoup de temps, la culture de rosiers moins rustiques est possible. Si on a peu de temps à leur donner, on doit choisir des rosiers plus rustiques et résistants aux maladies et aux champignons. Les rosiers des séries Explorateurs, Meidiland et Morden se cultivent bien dans les régions nordiques.

Classification des rosiers modernes

Il existe plusieurs types de rosiers modernes qui ont été définis en fonction de caractères morphologiques communs :

- Le rosier hybride de thé (*Rosa odorata*) : la fertilisation croisée des rosiers thé et des hybrides remontants, vers 1867, a donné les hybrides de thé, les roses les plus couramment cultivées aujourd'hui. La nature entière de la fleur a changé, un phénomène rare en horticulture. Les hybrides de thé atteignent 1,2 à 1,5 m (4 à 5 pi) de hauteur. Ils sont presque toujours greffés. La floraison est remontante et ils ne sont habituellement pas rustiques au Québec.
- Le rosier florifère (*Rosa floribunda*) : il partage avec les hybrides de thé une place prédominante dans les jardins modernes. Ces rosiers ont été créés à la suite de croisements d'hybrides de thé et de rosiers à plusieurs fleurs (*Rosa polyantha*). C'est le rosiériste danois Poulsen qui participa le plus au développement de ces rosiers. Ils sont d'une hauteur d'environ 90 cm (36 po) et sont généralement greffés. La floraison est remontante. Certains résistent assez bien aux rigueurs de l'hiver.

- Le rosier à grandes fleurs (*Rosa grandiflora*) : c'est le type de rosier le plus récent. Introduits en Grande-Bretagne en 1954, les rosiers à grandes fleurs sont le résultat de croisements d'hybrides de thé et de rosiers florifères (*Rosa floribunda*). Leur rusticité est souvent douteuse au Québec. D'une hauteur de plus de 1,8 m (6 pi), leurs fleurs ressemblent à celles des hybrides de thé mais sont plus petites. Une tige peut porter de cinq à sept fleurs. Ces rosiers sont presque toujours greffés.

- Le rosier arbuste moderne : ce type présente géné-ralement la forme d'un grand arbuste bien fourni. Ces rosiers sont le résultat de croisements de parents de plusieurs origines. Ils sont habituellement très résistants aux maladies et rustiques dans la plupart des régions du Québec. La plupart pré-sentent une floraison remontante.

- Le rosier à plusieurs fleurs (*Rosa polyantha*) ; c'est un rosier trapu à floraison remontante. Les premiers spécimens ont été introduits en 1875. Assez rus-tiques au Québec, ces rosiers peuvent servir de bordure dans les massifs. Ils devraient être plus courants dans nos jardins.

- Le rosier miniature : ce type porte bien son nom de miniature, n'atteignant qu'entre 20 et 35 cm (8 et 15 po) de hauteur. Ces arbustes sont idéals dans un petit jardin. Ils sont aussi à leur place dans des auges, des vasques ou des jardinières. Connus depuis 1800 en Europe, ces rosiers ne sont distri-bués à grande échelle que depuis 1960 environ en Amérique. Ce sont habituellement de très petits rosiers florifères *(Rosa floribunda)* ou hybrides de thé. Ils poussent toujours sur leurs propres racines. Certains sont rustiques.

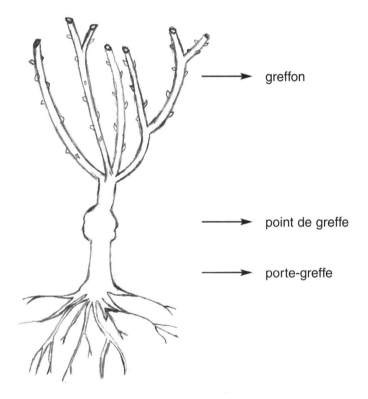

greffon

point de greffe

porte-greffe

rosier hybride de thé

Compagnonnage avec les clématites

Certains rosiers arbustifs ou grimpants ne sont pas remontants, c'est-à-dire qu'ils ne fleurissent qu'une seule fois par année. Il est donc intéressant de cultiver des clématites à proximité de ces rosiers afin que leur floraison complète leur spectacle floral ou y succède.

La clématite est placée à environ 30 à 60 cm (1 à 2 pi) du pied du rosier. On peut même en planter une de chaque côté de l'arbuste. Durant les deux premières années, il faut diriger la clématite vers le rosier à l'aide d'un tuteur. Ensuite on laisse le vieux bois en place pour qu'au printemps la clématite se guide sur ses vieilles tiges afin de rejoindre le soleil. Les clématites suivantes aiment bien croître avec les rosiers : la clématite 'Etoile Violette' (*Clematis viticella* 'Etoile Violette'), la clématite 'Hagley Hybrid' (*Clematis* 'Hagley Hybrid') et la clématite 'Ville de Lyon' (*Clematis viticella* 'Ville de Lyon').

Scarabée

Si les feuilles du rosier présentent une allure squelettique et prennent l'aspect de la dentelle, l'arbuste est victime du scarabée du rosier. Cet insecte, comme tous les scarabées, s'attaque à la surface supérieure des feuilles et broie de grosses portions de tissus situées entre les nervures. Il commence habituellement à grignoter les feuilles du sommet, celles-ci étant plus tendres. Les fleurs et les boutons floraux sont souvent détruits.

On peut l'éloigner en déposant de la naphtaline (boules à mites) sur une petite pellicule plastique près des rosiers. Si la population est petite, on peut la contrôler par une collecte journalière. On peut placer, comme moyen dissuasif, des insectes morts dans un bocal près des rosiers et les laisser se décomposer. En présence de grandes infestations, on peut utiliser des produits chimiques homologués. Ces insectes sont poison pour les oiseaux.

Tache noire

Lorsqu'on cultive des rosiers, on doit lutter continuellement contre la tache noire, une maladie fongique très fréquente chez certaines variétés. Au fil des ans, j'ai mis au point une lutte intégrée qui réduit fortement les dommages de ce fléau sans faire un usage abusif de pesticides :

- d'abord, je choisis maintenant des cultivars qui résistent bien à cette maladie fongique, comme le rosier grimpant 'Dortmund' (*Rosa* 'Dortmund') ou le rosier rugueux 'Henry Hudson' (*Rosa rugosa* 'Henry Hudson') ;
- au printemps, je ramasse minutieusement toutes les feuilles au sol et je vais les enterrer sur un terrain vacant (on recommande à ceux qui ne peuvent s'en débarrasser de cette façon de les brûler) ;
- je pulvérise les tiges des rosiers juste avant la taille printanière et l'éclosion des bourgeons avec un fongicide à base de soufre, comme la bouillie soufrée ;

- comme le sol a été infecté par les feuilles atteintes qui sont tombées, je pulvérise aussi le sol ;
- ces traitements me permettent souvent d'avoir des rosiers très sains jusque vers la fin de juillet ;
- je guette constamment les feuilles près du sol pour vérifier les premiers signes de tache noire, surtout s'il pleut abondamment ou que le taux d'humidité est très élevé ;
- à l'automne, j'effectue un nettoyage méthodique des feuilles et surtout des rosiers que je dois butter.

Rosier arbustif – taille

- Lorsque toute une tige doit être éliminée, la couper à la base du plant ;
- quand deux tiges se croisent, couper la plus faible à environ 6 mm (1/4 po) au-dessus de l'aisselle ; éliminer aussi celles qui se dirigent vers le centre du rosier ;
- couper les tiges faibles ou celles qui ont moins de 1 cm (1/2 po) de diamètre au point de rencontre d'une tige plus forte ;
- couper les branches latérales du tiers afin d'encourager la croissance et la taille des fleurs ;
- pour lui donner une forme arbustive, raccourcir les branches supérieures du tiers, au-dessus d'un œil extérieur.

coupe de tiges
qui se croisent

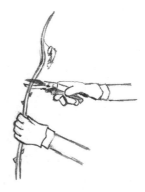

raccourcissement
des branches supérieures

Rosier grimpant rustique

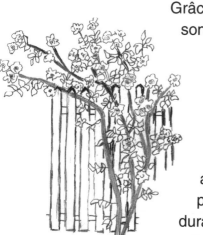

Grâce à certains hybrideurs qui se sont préoccupés de la rusticité des rosiers grimpants, les jardiniers québécois peuvent garnir leurs tonnelles et leurs arches de ces superbes plantes. 'John Cabot' (*Rosa* 'John Cabot'), un rosier vigoureux dont les tiges peuvent atteindre de 2,5 à 3 m (8 à 10 pi), peut demeurer sur son support durant l'hiver dans plusieurs régions nordiques, et ce, sans subir de pertes hivernales. Ses fleurs, rouge moyen, sont très parfumées. Les rosiers 'Henry Kelsey' (*Rosa* 'Henry Kelsey') aux fleurs rouge lumineux et 'William Baffin' (*Rosa* 'William Baffin') aux grappes de fleurs rose foncé sont aussi de bons choix ; ils font partie de la série Explorateurs. Ceux qui aiment les fleurs parfumées peuvent opter pour le rosier de Damas 'Mme Hardy' (*Rosa damascena* 'Mme Hardy'), un rosier fleurissant à la fin de juin non remontant et à l'abondante floraison blanche au cœur vert, très parfumée.

Rosier inerme

Un proverbe kurde proclame : « Qui aime la rose aime l'épine. » Je pense plutôt que les jardiniers aiment le parfum et la beauté sculpturale des roses mais détestent se piquer les doigts sur les aiguillons des rosiers. Même si aujourd'hui des spécialistes travaillent à des améliorations génétiques comme la transmission du caractère inerme (absence d'aiguillons), certains rosiers sur le marché présentent déjà peu ou pas d'épines.

Par exemple, le rosier canadien rugueux 'Therese Bugnet' (*Rosa rugosa* 'Therese Bugnet'), un arbuste haut de 1,2 à 1,8 m (4 à 6 pi) aux fleurs roses doubles parfumées, a des tiges rougeâtres très peu épineuses. On peut aussi porter son choix sur la très belle rose 'Heritage' de David Austin ou sur la fleur très sculpturale de 'Queen Elisabeth' (*Rosa grandiflora* 'Queen Elisabeth').

Quelques rosiers n'ont aucun aiguillon. Le plus connu à ce titre est 'Zéphirine Drouin', un rosier bourbon grimpant à floraison rose cerise parfumée, qui exige malheureusement d'être protégé sous les climats nordiques. On peut aussi opter pour un hybride perpétuel, le rosier 'Reine des Violettes'.

Rosier rugueux

Les rosiers rugueux, qui ont été longtemps des mal-aimés des jardiniers, reviennent à la mode parce qu'on a enfin reconnu la beauté de leur floraison. Ils forment souvent de véritables « usines à parfum » tellement leur floraison est généreuse.

Le rosier rugueux, originaire d'Asie, de Corée et du Japon, a eu une descendance remarquable depuis son arrivée en Europe vers 1784. Le rosier 'Hansa', homologué en Hollande par Schaum et Van Tol en

1905, est peut-être le représentant le plus connu de ce groupe qui compte aujourd'hui une centaine de représentants. De port arbustif, le rosier 'Hansa" peut atteindre plus de 2 m (6 pi) de hauteur et un étalement de 1,5 m (5 pi). Il peut donc former des haies fleuries, garnir des talus ou servir de point d'attrait au milieu d'une pelouse.

Il arbore des fleurs rondes rouge violacé très parfumées presque tout l'été, avec une accalmie entre sa première floraison et sa légère remontée à l'automne. Les fleurs, si on les laisse faner, sont suivies par une belle fructification. Les fruits rouge orangé, appelés cynorhodons, ressemblent à de petites tomates. Ils sont comestibles, en gelée par exemple. Le feuillage de ce rosier est vert pomme et rugueux, signe distinctif de l'espèce. Les branches sont très épineuses ; il y a des épines même sous les feuilles et les vieilles branches.

Rusticité d'une plante

Des facteurs peuvent améliorer la rusticité d'une plante, comme :

- une couverture de neige précoce et tardive : certaines plantes peuvent être ainsi cultivées dans des régions où normalement il serait impensable de les garder ;
- un bon brise-vent : une haie protège des vents froids meurtriers de l'hiver ;
- l'humidité d'un cours d'eau : la proximité d'un cours d'eau atténue les températures extrêmes ;

- une protection hivernale : des branches de conifères et des toiles protègent les souches de jeunes vivaces ou des parties aériennes vulnérables ;
- des plants en santé : le froid, comme les insectes et les parasites, s'attaque aux plantes malades ou affaiblies ;
- un sol bien drainé : certaines plantes n'aiment pas avoir les pieds dans l'eau durant les gels de l'hiver.

Salière

Saviez-vous que nous devons l'invention de la salière à l'américain R. H. France, qui remarqua que la capsule du coquelicot (*Papaver rhœas*) libérait ses graines à travers de minuscules orifices latéraux au moindre vent ?

Sapin de Noël

À Noël, plusieurs (moi le premier) optent encore pour un arbre naturel plutôt que pour un arbre artificiel, à cause de son parfum et du côté naturel que l'on veut donner à cette fête. Pour effectuer le meilleur achat possible, on peut prendre en considération certains critères faciles à vérifier sur place.

Il ne faut pas se le procurer trop tôt, à moins qu'on ne dispose d'un endroit frais pour l'entreposer, à l'abri du soleil et des vents desséchants. La neige est un excellent isolant qui minimise les pertes d'humidité une fois que l'arbre est taillé. N'oubliez pas de vous munir de gants, au moment des manipulations, afin de ne pas vous coller avec la résine.

Achat

Vérification de la tenue des aiguilles : comme un conifère perd beaucoup d'humidité une fois coupé, il faut vérifier la « santé » du sapin qu'on achète pour Noël :

- frotter les aiguilles entre le pouce et l'index : si peu d'aiguilles s'en détachent, c'est très bon signe ;
- vérifier la couleur des aiguilles : celles-ci doivent avoir une belle couleur vert foncé et ne pas donner de signes de dessèchement.

Vérification de la silhouette : la charpente d'un arbre ne peut être parfaite, car au cours de sa croissance plusieurs facteurs influencent sa silhouette. On devrait cependant tenir compte de ces critères :

- la charpente : l'arbre doit présenter une charpente harmonieuse et équilibrée, en privilégiant ses côtés apparents ;
- la hauteur : l'arbre paraît toujours plus petit sur les lieux de vente ;
- la densité des branches : ceux qui décorent beaucoup ont moins besoin que leur arbre soit fourni ;
- la tête : il est toujours pratique d'avoir une tête unique pour la décoration terminale.

Choix d'essence

- Le sapin : il se conserve trois semaines environ ;
- le pin : un aussi bon choix ;
- l'épinette : un mauvais choix, car ce conifère sèche quelques jours après sa coupe.

Qualité

- L'arbre parfait est fourni et sa charpente est bien équilibrée ;
- l'arbre de première qualité peut avoir quelques petits défauts de charpente et être moins fourni ;
- l'arbre de seconde qualité a une charpente déséquilibrée, se rapprochant d'un sauvageon (arbre cueilli en nature).

Pose et entretien

- L'arbre devrait être rentré à l'intérieur seulement lorsqu'on est prêt à le décorer ;
- il faut enlever de 2 à 10 cm (1 à 4 po) de la base et même retailler le tronc en biseau pour dégager les vaisseaux et faciliter l'absorption de l'eau ;
- un arbre naturel a absolument besoin d'eau (de 4 à 6 litres ; vive la bonne vieille chaudière avec des roches ou du sable) pour se nourrir et ainsi bien se conserver ;
- il faut éviter de le placer près d'une source de chaleur ;
- on doit vérifier régulièrement le niveau d'eau dans le contenant ;
- on peut verser quelques gouttes d'eau de Javel dans l'eau pour la purifier ;
- les plus méticuleux ajoutent des éléments nutritifs pour végétaux à l'eau.

Scie d'élagage

Pour couper de grosses branches, la scie d'élagage est le meilleur outil. J'aime bien celle dont la lame se replie dans le manche comme un couteau de poche. Elle est légère, efficace et peut être conservée dans les poches des vêtements sans inconvénient.

Sécateur

On rapporte qu'en l'an 6000 avant J.-C. les Arméniens taillaient déjà la vigne. Un sécateur de base devrait être constitué de deux lames incurvées bien aiguisées afin de tailler tant les tiges ou les branches vivantes que le bois mort. Attention, il y a des sécateurs conçus pour les droitiers et les gauchers, ce qui n'est pas le cas pour la plupart des outils.

Le bon choix

On doit choisir entre un sécateur à double tranchant ou à enclume. Le sécateur à double tranchant convient généralement mieux aux jardiniers. Les sécateurs de luxe (comme ceux de marque Felco) durent longtemps et on peut les réparer car des pièces de rechange sont disponibles. Ils sont cependant coûteux : un beau cadeau de Noël !

Semis

La plupart des semis sont simples à effectuer. Certaines semences exigent cependant des traitements spéciaux pour sortir de leur dormance (bris mécanique de l'enveloppe de la graine, trempage, période de gel, etc.). Il faut donc consulter et suivre les instructions qui sont généralement inscrites sur l'enveloppe de semences ou dans un guide.

Étiolement des jeunes plants

À cause du peu d'écart de température entre le jour et la nuit dans nos maisons, des températures élevées et sèches et du manque d'ensoleillement, nos jeunes plants ont tendance à s'étioler, à « pousser en orgueil » comme disaient nos grands-mères. C'est pour cela qu'il est inutile de semer les plantes trop tôt, car elles développent alors une structure chétive. Pour pallier ce problème, il faut abaisser la température durant la nuit et augmenter la luminosité le jour en apportant un éclairage artificiel.

Fonte

Un champignon causant la fonte des semis risque de se propager sur le substrat de plantation. Il s'attaque à la base du plantule, qui s'affaisse et meurt. Pour éviter ce problème, il vaut mieux acheter en jardinerie des mélanges déjà préparés qui sont stériles, donc exempts de maladies. Les pots doivent être lavés à l'eau chaude savonneuse à laquelle on a ajouté quelques gouttes d'eau de Javel, s'ils ont déjà servis à d'autres cultures. Il existe par ailleurs sur le marché des fongicides qui préviennent l'apparition de ce champignon.

Plaisir

Semer ses premières graines et les voir germer, c'est éprouver des émotions et des plaisirs qu'on ne soupçonne même pas. En effet, voir croître une plante qu'on a mise au monde, c'est la fierté d'avoir participé au processus de création de la nature. Pour ceux qui ont une bonne expérience en horticulture, c'est un moyen économique d'obtenir un grand nombre de plantes ou des nouveautés horticoles.

Semis intérieur

Période idéale

Habituellement, on commence les semis dans la maison. Il faut savoir qu'il est très difficile de réussir des semis en janvier et en février. Les semis de mars sont aussi très délicats pour les novices. Il vaut mieux opter pour le début d'avril, qui présente des journées d'ensoleillement plus longues et un apport d'air frais de l'extérieur avec l'ouverture des fenêtres en milieu de journée.

Technique

Voici les étapes que je suis pour effectuer mes semis :
- choisir un contenant approprié, généralement d'une profondeur de 5 à 7 cm (2 à 3 po) et doté de trous de drainage comme on en trouve facilement dans les jardineries ; la grosseur et les particularités du contenant peuvent varier selon le nombre de semences ou la difficulté de repiquage ;
- remplir le contenant d'un substrat de plantation (mélange à semis) préférablement stérile ;

- immerger quelques minutes le contenant dans un bac rempli d'eau et le retirer pour le faire égoutter de quatre à cinq heures ;
- compacter légèrement le substrat de plantation avec une petite plaquette de bois, pour éliminer les poches d'air ;
- semer les graines selon les instructions fournies (sur le paquet de semences ou dans un guide à part) ;
- pour celles qui nécessitent d'être recouvertes, saupoudrer une fine couche de terre à l'aide d'un tamis assez fin ; habituellement, il faut les recouvrir d'une couche de terre égale à deux fois leur épaisseur ; si les graines sont très fines, il suffit de les mélanger avec un peu de sable ;
- inscrire le nom de la plante et la date du semis sur une étiquette et en placer une dans chaque contenant ;
- placer le contenant sous une lumière artificielle ou devant une fenêtre très ensoleillée ;
- arroser la base des pots dans l'assiette prévue pour recueillir le surplus d'eau d'arrosage ; l'eau sera absorbée à la surface par capillarité.

Sillon de semence

Pour tracer un sillon avant d'ensemencer, coucher une longue baguette sur le sol. En appuyant sur la baguette, on obtient un beau sillon droit assez creux pour recevoir les semences. La baguette peut être graduée pour définir les distances de semis. Si on utilise une corde, il suffit de la graduer en faisant des marques avec de la peinture (ou du vernis à ongles).

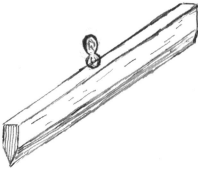

Sol

Aération

Pour un sol bien équilibré, il faut que l'air occupe 25 % du volume de ce sol. Quand on bêche la terre, on l'aère en l'ameublissant. Le jardinier favorise ainsi le développement de ses plantes et l'action des micro-organismes du sol. On dit que la plus grande masse vivante de notre planète se trouve dans la couche superficielle du sol.

Un problème majeur et souvent sous-estimé en horticulture est le tassement, c'est-à-dire le com-pactage du sol. Ce phénomène fait en sorte que les racines ont de la difficulté à pénétrer dans la terre. De plus, l'eau y reste emprisonnée, provoquant en période de pluies fréquentes des difficultés pour la plante qui vont jusqu'à son flétrissement. Il faut donc éviter de marcher inutilement dans les plates-bandes ou, si l'on doit faire un travail important, déposer une planche afin de répartir uniformément notre poids.

Analyse

Si le sol est de bonne qualité, on peut l'utiliser pour les plantations. Il faut donc l'analyser en :

- vérifiant les plantes sauvages qui y poussent, car elles renseignent sur les caractéristiques du sol :
  - acide : fraisier sauvage, mousse, oseille sauvage, pissenlit, prêle ;
  - basique : tussilage ;
  - carencé en phosphore : chardon ;
- sondant la terre avec une fourche ou une pelle pour vérifier si le sol est sablonneux ou glaiseux.

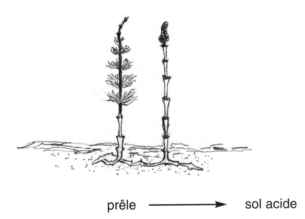

prêle   ⟶   sol acide

Texture

La texture du sol peut être légère ou lourde. Cette classification est très simpliste, mais elle reflète essentiellement ce que nous, les jardiniers, devons savoir.

Les sols légers sont constitués de plus de 70 % de sable, alors que les sols lourds sont constitués de plus de 40 % d'argile. Chacun de ces sols a des caractéristiques propres.

Caractéristique	Argile	Sable
Valeur nutritive	riche	pauvre
Réchauffement	lent	rapide
Rétention d'eau	forte	faible
Drainage	difficile	facile
Perméabilité	faible	excessive
Aération	mauvaise	excellente
Adhérence	très forte	nulle
Plasticité	très grande	nulle

Sol argileux

Avantages :
- un sol argileux fournit de l'eau sur une longue durée ;
- ce sol regorge d'éléments nutritifs ;
- il permet de belles récoltes et de belles floraisons ;
- quand les plantes sont bien établies, elles s'y plaisent beaucoup.

Inconvénients :
- un sol argileux est difficile à ameublir convenablement ;
- il est lent à se réchauffer au printemps ;
- ce sol s'égoutte difficilement.

Traitements :

- y incorporer une bonne quantité de compost pour le rendre plus poreux ;
- ajouter du sable assez gros pour qu'il ne s'agglomère pas avec l'argile, ou des petits cailloux afin d'éviter le compactage ;
- la tourbe de sphaigne donne de la légèreté aux sols lourds.

Sol sablonneux

Avantages :

- un sol sablonneux est facile à travailler, car il est bien aéré et perméable ;
- il se réchauffe vite au printemps et ne présente aucun problème de drainage ;
- il n'est pas sujet au compactage ;
- l'arrachage des mauvaises herbes y est facile.

Inconvénients :

- sol où les plantes sont vulnérables à la moindre sécheresse ;
- il faut arroser régulièrement ;
- la fertilité naturelle de ce sol est faible : il faut donc l'amender souvent.

Traitements :

- incorporer une grande quantité de fumier ou de compost bien décomposé pour améliorer la capacité de rétention d'eau ;
- la tourbe de sphaigne donne de la consistance à un sol sablonneux (attention alors à son acidité ; si le sol devient trop acide, on ajoute de la chaux).

Sorbier

Ce petit arbre indigène de chez nous se donne un air tropical durant l'été, comme le vinaigrier. Il se colore l'automne et porte de beaux fruits presque tout l'hiver, à condition que les oiseaux ne les dévorent pas tous à l'automne. Il existe maintenant plusieurs cultivars sur le marché, du genre *Sorbus* qui ont un feuillage d'été très décoratif, comme le sorbier à feuilles de chêne (*Sorbus intermedia*).

Souche – destruction

Lorsqu'il est impossible d'apporter de l'équipement mécanique lourd pour arracher une souche, on peut suivre les démarches suivantes pour la détruire :
- couper l'arbre le plus possible à ras de terre ;
- ensuite, laminer le bois et les racines avec une essoucheuse, un appareil qu'on trouve dans les

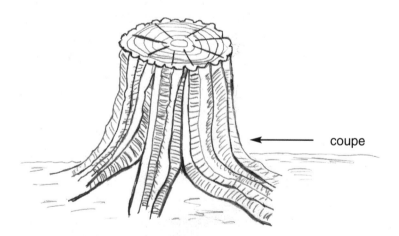

coupe

centres de location et qui nécessite un passage de 1 m (3 pi) de largeur;

• comme le travail avec l'essoucheuse demande de la force physique et répand les copeaux dans le jardin, on peut décider tout simplement de forer des trous de 2 cm (1 po) de diamètre, le plus profondément possible, et y insérer des produits pour accélérer la décomposition, comme du compost, du gros sel, de l'ail, de l'eau ou un produit chimique vendu en jardinerie (de deux à trois ans sont nécessaires pour la décomposition, parfois plus).

Souper horticole

J'ai invité quelques personnes à venir souper chez moi ce soir. Qui sont-elles?
1. Charles Joly
2. Mme Hardy
3. Comtesse de Bouchaud
Réponses:
1. Un lilas qui arbore des fleurs doubles rouge-pourpre.
2. Un rosier grimpant non remontant à floraison blanche parfumée.
3. Une clématite aux fleurs roses et aux étamines jaunes.

Spatule du jardinier

À l'automne, le froid et la pluie se mettent souvent de la partie et la boue omniprésente colle aux vêtements

et aux outils, les alourdissant de beaucoup. Par exemple, lorsqu'on retourne la terre avec une pelle, elle devient de plus en plus terreuse. Il faut la gratter de temps en temps pour enlever cette agglutination. Un instrument très pratique pour effectuer ce nettoyage est la spatule du peintre. La lame de la spatule doit être assez rigide pour permettre de gratter la boue qui s'est accrochée aux outils.

Sphère armillaire

La sphère armillaire doit toujours être à hauteur d'homme. Cet ornement est plus qu'un cadran solaire puisqu'il donne l'heure et renseigne sur le mouvement des corps célestes (équinoxes).

STD

Cette abréviation à la suite du nom d'un conifère ou d'un arbuste signifie qu'il est greffé sur une tige.

Style de jardin

- Le jardin naturel (sauvage) : aujourd'hui, il se caractérise par la réintroduction de plantes indigènes ;
- le jardin topiaire : le jardin des pâtissiers, l'art de la forme, une victoire du jardinier sur la plante ;
- le jardin anglais (le jardin de curé) : un jardin imprégné de modestie et de simplicité, où l'on fait

pousser des plantes parce qu'on les aime ; c'est le jardin du peintre ;

- le jardin moderne : les plantes sont choisies pour leur valeur architecturale (graminées) et pour le contraste de leur texture, des sculptures viennent animer le minimalisme de ce jardin et les structures matérielles dominent ;
- le jardin victorien : rien n'est discret, tout est placé intentionnellement pour être vu ou admiré ; un goût excessif pour l'ornement ; des fleurs opulentes ;
- le jardin parterre : une forme très stylisée, une broderie où l'on peut parfois se promener entre les motifs, un dessin géométrique avec des lignes très précises ; c'est le jardin de l'architecte ;
- le jardin oriental : un espace de tranquillité, d'harmonie et de méditation qui représente l'équilibre entre l'eau, la pierre et la verdure ; l'aspect botanique cède sa place à l'esthétique ;
- le jardin classique : des murs bien construits, des arches, de grandes allées ; un jardin qui respire une parfaite harmonie, où tout est marié avec art, souvent inspiré de l'antiquité ;
- le jardin tropical : il présente une végétation totalement différente de celle de notre climat tempéré, créant une impression de climat chaud ; on réalise souvent ce type de jardin dans une serre ;
- le jardin de potées fleuries : une touche finale à une terrasse, à un escalier ou à un balcon, des pointes de couleur qui peuvent former une sorte de sculpture.

T

Table de rempotage

Les semis, le bouturage, la plantation des potées fleuries ou la division de certaines plantes peuvent se révéler des travaux plaisants si on possède une table de rempotage fonctionnelle et ergonomique. Cette table doit compter deux étages. La tablette inférieure convient très bien pour ranger les pots et les substrats de plantation en sac. L'étagère supérieure sert de surface de travail ou d'endroit pour remiser les plantes en contenant, avant leur plantation définitive au jardin. Cette surface peut laisser passer la lumière et la pluie si le jardinier décide de placer des plantes sur la

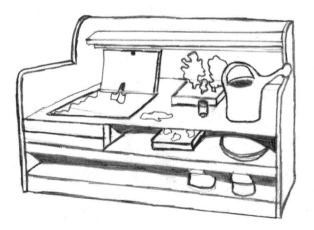

tablette inférieure. La hauteur idéale de l'étage supérieur varie entre 80 et 90 cm (31 et 36 po), selon votre taille. La table doit être placée de préférence dans un endroit mi-ombragé pour empêcher que les nouvelles boutures ou les jeunes semis soient « brûlés » par les chauds rayons du soleil.

Taxinomie

En botanique, c'est l'étude du nom des plantes, leur classification et leurs relations.

Terreau

Culture extérieure

Chaque année on se pose la même question : « Quel terreau vais-je acheter pour remplir mes potées fleuries, mes jardinières ou tout simplement pour incorporer dans mes plate-bandes ? » Voici quelques facteurs à considérer dans ce choix :

- d'abord, il faut vérifier les exigences de culture des plantes qu'on a achetées afin de bien connaître leurs besoins (sol sec ou humide, léger ou plus lourd) ;
- la richesse du substrat : le compost est un excellent terreau extérieur ou du moins une de ses composantes souhaitables ;
- le drainage du terreau : il doit se faire rapidement mais retenir assez d'eau pour garder l'humidité requise selon les besoins de la plante ;
- l'arrosage : si l'on est souvent absent de la maison, on devrait opter pour un terreau contenant des matières pour emmagasiner l'eau et l'évacuer lentement.

On peut faire son propre mélange (les bons jardiniers préfèrent fabriquer eux-mêmes leur substrat de plantation) : une partie de sable, une partie de bonne terre à jardin et une autre partie de mousse de tourbe. Cependant, l'industrie fournit aujourd'hui de plus en plus de bons substrats de plantation tant pour l'intérieur que pour l'extérieur. Il suffit de les choisir en fonction des critères qu'on vient d'énumérer.

Plantes alpines

Pour réussir à cultiver des plantes alpines, il faut un substrat bien adapté. Le terreau de mon ami Roger est constitué ainsi : 1/3 de terre à jardin, 1/3 de mousse de tourbe et 1/3 de sable et de gravier. Il utilise la technique du « sandwich » : le gravier et le sable au fond, le mélange de terre de jardin et de mousse de sphaigne au centre et une couche de gravier à la surface. Je l'imite aujourd'hui et tout va bien.

Stérilisation

Pour stériliser un terreau, on humidifie la terre et on la place au four à 80 °C (180 °F) pendant 45 minutes.

Tondeuse – remisage

Votre tondeuse mérite bien son repos à l'automne. Si vous voulez qu'elle vous revienne en pleine forme l'été suivant, certains soins sont nécessaires :
• enlever tous les déchets de tonte (herbe, terre, etc.) qui sont collés à la lame et aux parois (ne pas utiliser un jet d'eau, qui pourrait endommager certaines pièces) ;

- si le moteur est un deux-temps, finir la dernière tonte en panne sèche, car l'huile contenue dans le mélange huile-essence décante en hiver et s'agglutine, pouvant ainsi obstruer les orifices du carburateur ;
- si le moteur est un quatre-temps, on n'a qu'à effectuer la vidange de l'huile ;
- profiter de l'automne, une période creuse pour les réparateurs, pour faire vérifier la tondeuse si elle toussotait lors des dernières tontes (on épargnera ainsi du temps au printemps, et bien souvent de l'argent) ;
- remiser la tondeuse dans un endroit sec.

Tourne-bille

Le tourne-bille, aussi appelé *cant hook* et arrache-racine à pivot métallique, était utilisé autrefois pour tourner les billots. Il est très pratique dans les jardins pour faire rouler une roche ainsi que pour placer et stabiliser les grosses pierres plates dans les allées.

Tuteur

À l'automne, les tuteurs sont rassemblés et placés dans un baril où ils attendront le printemps. Bien entendu, il faut prendre soin de retirer les attaches avant de les ranger.

Verticalité au jardin

La disponibilité spatiale étant généralement réduite dans un jardin de petite dimension, il faut maximiser tous les espaces verticaux mis à notre disposition pour la culture des plantes grimpantes. En plus de donner du volume aérien dans un petit jardin, ces plantes contribuent à dynamiser le paysage en transformant la perception des distances. Elles peuvent aussi jouer certains rôles pratiques, comme camoufler une construction peu esthétique ou à l'inverse mettre en valeur une clôture en fer forgé. Il s'agit de choisir la plante répondant au but visé.

Zone de rusticité

Une zone de rusticité indicative est attribuée à une plante, au Canada, selon des facteurs météorologiques déterminés par Agriculture Canada. Habituellement, cette zone est notée sur les étiquettes de vente ou dans les brochures ou livres de jardinage. Il faut faire attention cependant à l'attribution numérique de la zone de rusticité d'un producteur non canadien ou dans un livre horticole européen, car les critères d'évaluation étant différents la correspondance ne répond pas à la même rusticité que la nôtre. Une cotation européenne de zone 4 peut diverger d'une cotation canadienne zone 4.

Zone de rusticité	Journées de croissance	Température minimale
Zone de rusticité 1	100	-45 °C (-50 °F)
Zone de rusticité 2	150	-45 °C à -40 °C (-50 °F à -40 °F)
Zone de rusticité 3	165	-40 °C à -35 °C (-40 °F à -30 °F)
Zone de rusticité 4	195	-35 °C à -29 °C (-30 °F à -20 °F)
Zone de rusticité 5a	210	-29 °C à -26 °C (-20 °F à -15 °F)
Zone de rusticité 5b	210	-26 °C à -23 °C (-15 °F à -10 °F)

Index

Cet ouvrage a été composé en Helvetica corps 12/16
et achevé d'imprimer au Canada en mars 2006
sur les presses de Quebecor World L'Éclaireur,
Saint-Romuald (Québec).